PROFIL D'UNE ŒUVRE

Collection dirigée par Georges Décote

P9-CPV-479

CANDIDE

VOLTAIRE

Analyse critique

par Pol GAILLARD

maître-assistant à l'Université de Paris X

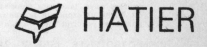 HATIER

DU MÊME AUTEUR

Le Résumé de Texte en seconde, au baccalauréat, aux brevets, au DEUG, aux concours (Coll. Profil Formation, Hatier).
Liberté et valeurs morales (Coll. Profil Formation, Philosophie, Hatier).
Zadig, Micromégas, l'Ingénu (Coll. Profil d'une œuvre, Hatier).
Zadig et Micromégas de Voltaire (Coll. Œuvres et Thèmes, Hatier).
Tartuffe de Molière (Coll. Profil d'une œuvre, Hatier).
Les Précieuses Ridicules et les Femmes Savantes de Molière (Coll. Profil d'une œuvre, Hatier).
Candide de Voltaire (Coll. Profil d'une œuvre, Hatier).
La Peste de Camus (Coll. Profil d'une œuvre, Hatier).
L'Espoir de Malraux (Coll. Profil d'une œuvre, Hatier).
Albert Camus, Sa vie, son œuvre, sa pensée, son art (Coll. Présence littéraire, Bordas).
André Malraux, Sa vie, son œuvre, sa pensée. son art (Coll. Présence littéraire, Bordas).
Les critiques de notre temps et Malraux (Garnier).
Le Mal, de Pascal à Boris Vian (Coll. Thématique, Bordas).
Les clés de l'orthographe (Delagrave).
Fables de la Fontaine, Anouilh, Prévert, Desnos, Devos, etc., (Coll. Œuvres et Thèmes, Hatier).
Fabliaux du Moyen Age, Contes d'hier et d'aujourd'hui (Coll. Œuvres et Thèmes, Hatier).
Les Contemplations de Hugo (Coll. Profil d'une œuvre, Hatier).
Les Misérables de Hugo (Coll. Univers des Lettres, Bordas).
Les Châtiments et l'Année terrible de Hugo (Coll. Univers des Lettres, Bordas).
Le Mariage de Figaro de Beaumarchais (Coll. Univers des Lettres, Bordas).
Horace de Corneille (Coll. Univers des Lettres, Bordas).

DISQUES DE THÉATRE (réalisés avec Alain Barroux ; Bordas) : *Le Cid, Horace, Polyeucte ; Andromaque, Britannicus, Iphigénie, Phèdre ; L'Avare, Les Femmes Savantes, Le Misanthrope, les Précieuses Ridicules, Tartuffe ; Les Caprices de Marianne, Lorenzaccio ; Ruy Blas ; L'Odyssée* avec
Michel Bouquet, Maria Casarès, Alain Cuny, Bérengère Dautun, Renée Faure, Fernand Ledoux, François Maistre, Jean Négroni, Geneviève Page, François Périer, Claude Rich, Catherine Sellers, Laurent Terzieff, Jean-Louis Trintignant, Pierre Vaneck.
Cette collection a reçu « le Grand Prix International de l'Académie Charles Cros ».
Le Cid, Tartuffe, Phèdre, Ruy Blas ont reçu le prix « Interclubs ».

THÉATRE

Denis Asclépiade, créé par Michel Vitold et Marc Cassot (Éd. M.-Ph. Delatte, 15, rue Gustave-Courbet, Paris XVIᵉ), prix Chevalier de la Barre.
Les Taupins, créé par Marie Dubois.
Vénus ou l'Amour forcé, créé par Robert Porte.
Docteur Gundel, créé par Guy Tréjean.
Le Pont de Lianes, créé par Med Hondo.
Le Drame de Vauban, créé par Jean Gaven et André Falcon.
Le Recteur de Séville, prix Arts et Lettres 1977.

ISSN 0750-2516   ISBN 2 - 218 - 01914 - 0

Sommaire

Note : Toutes les références à *Candide* renvoient à l'édition des « Romans et Contes » de Voltaire (collection *Folio*, Gallimard).

ACTUALITÉ DE « CANDIDE »

Il y a eu un siècle, le 30 mai 1878, pour le premier centenaire de la mort du philosophe, Victor Hugo osait rapprocher, dans un discours officiel, le sourire de Voltaire et les larmes du Christ : l'œuvre évangélique a pour complément l'œuvre philosophique, disait-il ; l'esprit de mansuétude a commencé, l'esprit de tolérance a continué : « Combattre le pharisaïsme, démasquer l'imposture, terrasser les tyrannies, les usurpations, les préjugés, les mensonges, les superstitions... attaquer la magistrature féroce, attaquer le sacerdoce sanguinaire,... lutter pour les persécutés et les opprimés ; c'était la guerre de Jésus-Christ ; et quel est l'homme qui fait cette guerre ? c'est Voltaire. »

Pendant des années un tel rapprochement fut considéré comme scandaleux ; Voltaire demeurait avant tout l'infâme qui avait appelé à « écraser l'infâme », c'est-à-dire le fanatisme des Églises... Mais Paul Valéry rappela de même, en 1944, dans Paris à peine libéré qui célébrait à nouveau l'auteur de *Candide* : « Après tout, l'Évangile et les Droits de l'homme sont bien d'accord sur l'essentiel : la valeur infinie de la personne... Voltaire invoque la raison, mais il tire au cœur. Qu'est-ce qui résisterait à l'alliance de la vérité et de la pitié ? L'une et l'autre travaillent en l'homme ce qu'il a de plus humain... et c'est pourquoi, qu'on le maudisse ou qu'on l'exalte, Voltaire vit, Voltaire dure : il est indéfiniment actuel[1]. »

Aujourd'hui, après Jean XXIII et le renouveau de l'Islam, mais tandis que protestants et catholiques irlandais continuent de se haïr et de se tuer les uns les autres au nom de Celui qui a dit : « Aimez-vous les uns les autres », que musulmans irakiens et iraniens, au lieu de s'aider pour vaincre la misère, se massacrent avec ardeur

---

1. Discours du 250ᵉ anniversaire, Sorbonne, 10 décembre 1944.

sans « manquer pour autant aux cinq prières par jour ordonnées par Mahomet », [1] ni *l'actualité* de Voltaire, ni son *accord profond sur l'essentiel avec les humanismes logiques avec eux-mêmes, religieux ou non* [2], ne sauraient plus être contestés.

Le XXᵉ siècle a vu réapparaître la torture dans les prisons, l'esclavage dans des camps spéciaux. Il a réinventé, au nom de dogmes politiques, l'Inquisition, avec châtiments soigneusement dosés suivant les « aveux » et les « autocritiques », comme pour les autodafés de Lisbonne et de Madrid ; il a mis au point un racisme non plus religieux, fondé sur le fait que les Noirs ou les Indiens n'avaient pas d'âme, mais « scientifique », fondé prétendument sur la biologie et sur l'histoire, et mené avec la même logique dévoyée jusqu'à la solution finale, c'est-à-dire l'extermination pure et simple des « êtres inférieurs ». Les opposants aux régimes totalitaires, assimilés à des fous ou à des criminels, sont expédiés dans des hôpitaux psychiatriques ou dans des bagnes, quand ils ne disparaissent pas purement et simplement. Un mur de la honte coupe toujours en deux l'une des plus grandes capitales d'Europe.

Ce ne sont là que quelques exemples, indiscutables, auxquels il est trop facile d'ajouter. La guerre, en tout cas, a été portée par notre siècle à sa perfection. Celle que les *candides* appelaient naïvement « la der des der » causa, de 1914 à 1918, 8 723 000 morts. Vingt ans après, les hommes se laissent de nouveau happer par l'engrenage des fautes, des crimes, de la passivité, et le *Dictionnaire de la diplomatie* donne le bilan : de 1939 à 1945, 54 783 000 morts, 90 000 000 blessés. Cela ne suffit pas encore. Les États-Unis et l'Union Soviétique possèdent chacun aujourd'hui, disent-ils, suffisamment d'armes nucléaires pour se détruire, non pas une seule fois, mais plus de 800 fois *(overkilling capability)*, pour faire périr en une heure jusqu'à 300 millions de personnes [3]. Le fin du fin de la diplomatie aujourd'hui, c'est de négocier les bombes sur la table, « au bord du gouffre ».

Pourtant nous sommes prévenus : « Laissez-moi vous dire ce

---

1. *Candide,* fin du chapitre 11.
2. Voltaire refusait bien entendu avec force les faux humanismes étroits, c'est-à-dire « aveuglés par de courtes certitudes » comme dira plus tard Camus. Il voulait un humanisme tenant compte de tout l'homme, s'appuyant constamment sur l'expérience pour être efficace.
3. L'UNESCO précise que l'ensemble des dépenses d'armement dans le monde s'élève à un million de dollars par minute.

que savent quelques-uns d'entre nous et que quelques gouvernements ont reconnu, écrit Oppenheimer après Einstein. Tout le monde devrait le savoir et chaque gouvernement le comprendre : si nous arrivons à un nouveau conflit mondial, personne ne peut être sûr qu'il restera assez de survivants pour enterrer les morts... » Avertissement inutile. Un système génial de dissuasion a été trouvé, le *Doomsday System, Système de Jugement Dernier* : si l'ennemi attaque, on met à feu une énorme bombe thermonucléaire enfouie dans le sol et elle fait éclater la terre. C'est évidemment le plus simple. En attendant, selon l'UNICEF, 780 millions de personnes dans le monde vivent dans un état de « pauvreté absolue », dont 300 millions d'enfants. Les moyens font défaut pour les nourrir.

Chaque mois, chaque semaine souvent, les journaux nous apportent une nouvelle raison de redire comme Voltaire : « *Notre siècle n'est pas seulement fou, il est horrible.* » Voltaire a choisi pourtant, dans *Candide*, de montrer d'abord aux hommes leur *folie,* de ne dénoncer l'horreur que par l'absurde. Sa méthode était bonne puisqu'elle a donné un chef-d'œuvre, tué une doctrine [1], contribué avec certitude au progrès de son époque...

« *Mais que pourrait Voltaire aujourd'hui ?* demande l'auteur du *Cimetière marin... Que pourrait un homme d'esprit ? Où est le Voltaire qui incriminera le monde moderne ?* »

Force est bien de le reconnaître, ce nouveau Voltaire n'est pas apparu. Heureusement, l'ancien n'a pas épuisé sa vigueur. Partout on reprend, on adapte, on imite *Candide*. Claude Santelli a présenté le roman lui-même dans la série télévisée des Cent livres. Norbert Carbonneaux et Albert Simonin ont transposé l'œuvre pour le cinéma, le sous-titre originel étant simplement devenu « L'optimisme au XXe siècle » [2]. Aux États-Unis, Arthur Penn a tenté, avec *Little Big Man*, un *Candide* américain, et Jerzy Kosinski, avec *La présence,* un conte étrange, peu voltairien, mais dont on a raison de présenter le personnage principal, pourtant, comme « un Candide au siècle de la télévision ». Luis Buñuel surtout a su faire de *La voie lactée* une création véritable, trop précieuse sans doute pour

---

1. Le providentialisme de Leibniz.
2. Ils conservent d'ailleurs une assez grande partie du texte de Voltaire, dit par François Chalais. Interprétation : J.-P. Cassel, Michel Simon, Pierre Brasseur, Louis de Funès, Jean Richard, Poiret et Serrault, etc.

toucher le grand public, mais belle, profonde, ironique, corrosive, digne de son modèle... Voltaire, qui l'eût cru ?, a même retrouvé l'audience de la scène : un montage de textes polémiques par J.-F. Prévand, *Voltaire's folies*, a été joué plus de trois cents fois dans un café-théâtre de Paris [1]. On peut toujours terminer un spectacle, de nos jours, par la célèbre prière du *Traité de la tolérance*, elle n'a pas vieilli.

Mais le chef-d'œuvre intact reste bien *Candide*, qui nous invite avec la même force qu'autrefois à rire du mal et de tous les dogmes, pour nous en délivrer l'âme d'abord, pour saper réellement leurs bases ensuite. La fameuse formule finale demeure l'une des plus inépuisables de nos lettres, symbole si puissant que toute réflexion un peu fine permet de lui trouver une application nouvelle, souvent fructueuse. Robert Escarpit écrivait, à propos de certaines résurgences actuelles du fascisme et du racisme :

« On n'en a jamais fini avec la mauvaise graine. Quelle que soit la puissance des désherbants de l'histoire, leur efficacité est limitée dans le temps et il reste toujours assez de semences en terre pour que celles-ci finissent par lever tôt ou tard. C'est une leçon pour les jardiniers. Même s'ils ne sont pas d'accord sur la couleur des fleurs qui doivent y pousser, au lieu de piétiner mutuellement leurs plates-bandes, ils feraient sans doute mieux de s'entendre pour les entretenir. Le seul moyen de maintenir à l'écart les végétations sauvages est de cultiver son jardin. »

Cette application inédite de la maxime n'est certainement pas la plus mauvaise. Décidément il faut toujours étudier *Candide*.

---

1. Il est repris de temps en temps à la Télévision. Depuis la première édition de ce livre, *Candide* a suscité encore des œuvres nombreuses : trois pièces de théâtre en France (de Jean Menaud à Paris, J.-F. Maurel à Lille, Richard Monod à Nice), un roman et un film en Italie (Siascia, Jacopetti), un grand mimodrame symphonique en Allemagne (Marius Constant, musique ; Roland Manuel, livret ; Marcel Marceau, mime).

L'intrigue et la structure 1

ANALYSE DE « CANDIDE »

Chapitre 1 (p. 137-139). Portrait de Candide, de Pangloss, et de tous les habitants du château de Thunder-ten-tronckh. Cunégonde assiste par hasard à une expérience de Pangloss qui ne lui était pas destinée. Elle rencontre Candide, et rougit. Candide rougit aussi. Enchaînement des causes et des effets, Candide est chassé du château à grands coups de pied dans le derrière, tout est consterné dans le plus beau des châteaux possibles.

Chapitre 2 (p. 140-142). Le recrutement forcé, le militarisme, les châtiments corporels. Candide devient, bien malgré lui, soldat dans l'armée bulgare.

Chapitre 3 (p. 142-144). La guerre, son absurdité, ses horreurs, ses Te Deum. Candide s'enfuit et passe en Hollande. L'hypocrisie et le fanatisme d'un pasteur huguenot : il prêche sur la charité mais il refuse d'aider Candide parce que celui-ci n'a pas l'air de croire que le Pape soit l'Antéchrist. La bonté active de Jacques l'anabaptiste [1] : il recueille et embauche Candide.

Chapitre 4 (p. 144-147). Candide retrouve Pangloss, que la vérole a rendu méconnaissable, et qui perd un œil et une oreille dans le traitement. Il apprend de lui que Cunégonde est morte, violée et éventrée par les Bulgares. Le bon anabaptiste accepte d'embaucher aussi Pangloss.

1. Le baptême donné à de tout jeunes enfants ne pouvant guère être considéré comme un acte engageant leur responsabilité personnelle, les anabaptistes soumettaient leurs adeptes à un second baptême lorsqu'ils avaient atteint l'âge adulte.

Chapitre 5 (p. 147-150). Les catastrophes naturelles et leur profonde injustice.

La tempête; le bon anabaptiste est noyé, c'est un matelot barbare qui est sauvé.

Le tremblement de terre : 30 000 habitants périssent, hommes, femmes, enfants, bons et mauvais, innocents et coupables au hasard.

Pangloss discute très poliment avec un petit homme noir de l'optimisme et du péché originel, du déterminisme et de la liberté. Il est arrêté avec Candide.

Chapitre 6 (p. 150-151). L'Inquisition. Pour empêcher les tremblements de terre, deux Portugais soupçonnés de judaïsme sont brûlés, Pangloss est pendu, Candide est flagellé. Le même jour, la terre tremble de nouveau avec un fracas épouvantable.

Chapitres 7, 8, 9, 10 (p. 152-160). Religions différentes, mêmes mœurs. Cunégonde a bien été violée et éventrée, mais elle n'est pas morte. Elle a été sauvée et prise par un capitaine bulgare qui l'a vendue ensuite à un banquier juif, don Issacar. Elle a assisté au dernier auto-da-fé, car elle est aimée aussi par le grand inquisiteur. Celui-ci a conclu marché avec don Issacar pour entretenir Cunégonde quatre jours par semaine, dont le dimanche. Cunégonde a chargé la vieille servante d'Issacar, qui s'est attachée à elle, de soigner Candide et de le lui amener. Don Issacar surprend les amants, il veut poignarder Candide, Candide le tue. L'inquisiteur arrive à son tour car c'est le dimanche matin; Candide « raisonne », et le tue aussi. Cunégonde, la vieille et lui s'enfuient à bride abattue sur trois chevaux andalous.

Il leur faut bientôt en vendre un, car un frère quêteur a volé l'argent de Cunégonde. Heureusement à Cadix on assemble des troupes contre les Jésuites du Paraguay. Candide, qui a servi dans la célèbre armée bulgare, est engagé comme capitaine et s'embarque avec Cunégonde, la vieille et deux valets. Sur le bateau, longue discussion sur le mal et le malheur. Qui, un jour, ne s'est pas jugé le plus malheureux des hommes ? La vieille, piquée par une remarque de Cunégonde, raconte son histoire.

Chapitres 11 et 12 (p. 160-167). Fille du pape Urbain X, la vieille a vu son fiancé mourir devant elle, empoisonné. Sa mère et elle, prises par des corsaires barbaresques, ont assisté à des guerres civiles épouvantables, subi des souffrances sans nom. Sauvée, et vendue, par un Italien qu'on a châtré pour lui donner une voix plus belle que celle des femmes, la vieille, qui ne l'est pas encore, échappe à la peste, mais elle passe comme esclave d'un maître à l'autre et elle manque d'être mangée au siège d'Azov par des guerriers turcs qui ne veulent pas se rendre. Cependant la ville est prise par un brusque assaut des Russes, et la vieille ne perd qu'une fesse. Servante de cabaret là où elle peut, elle connaît la misère et l'opprobre, et tombe finalement entre les mains de don Issacar.

Chapitre 13 (p. 167-170). Arrivée à Buenos Aires. Le gouverneur convoite Cunégonde et éloigne Candide, - obligé d'ailleurs de s'enfuir précipitamment, poursuivi par la justice du roi d'Espagne et de l'Inquisition.

Chapitre 14 (p. 170-173). Puisque les Jésuites du Paraguay sont en guerre avec l'Espagne, Candide, guidé par son valet débrouillard Cacambo, passe dans leur « royaume », magnifiquement et militairement organisé : los Padres y ont tout, et les peuples rien. Le R.P. commandant se révèle être le propre frère de Cunégonde. Candide et lui se retrouvent avec des larmes de joie.

Chapitre 15 (p. 173-175). Le R. P. commandant raconte comment il est devenu Jésuite par la tendre amitié du R. P. Croust. Mais l'orgueil nobiliaire de Thunder-ten-tronckh est toujours en lui, il frappe Candide qui ose penser, s'il la retrouve, à épouser Cunégonde. Candide le tue, et pleure... Cacambo revêt Candide de la robe du Père et ils sortent du royaume avant qu'on ait découvert le meurtre.

Chapitre 16 (p. 175-179). Candide abat deux singes qui poursuivaient deux filles; hélas c'était les amants de celles-ci. Candide et Cacambo sont ligotés pendant leur sommeil; ils vont être mangés par les Oreillons, ennemis des Jésuites qui leur ont pris leurs territoires, lorsque Cacambo, dans un beau discours, prouve aux Oreillons que Candide n'est pas Jésuite. Les deux hommes sont alors traités avec les plus grands égards.

Chapitres 17 et 18 (p. 179-188). Perdus, affamés, Candide et Cacambo s'abandonnent à une rivière qui s'enfonce bientôt sous une montagne et les entraîne au merveilleux pays d'Eldorado, où les hommes se conduisent raisonnablement et sont heureux. Mais ils décident de ne pas y demeurer. Comblés d'or et de pierres précieuses, ils espèrent que leurs richesses leur permettront non seulement de rester libres et de reprendre Cunégonde, mais de briller en tous pays.

Chapitre 19 (p. 188-193). Candide et Cacambo rencontrent en Guyane un nègre affreusement mutilé par l'exploitation des Blancs... Candide envoie Cacambo racheter Cunégonde au gouverneur de Buenos Aires, dont il apprend qu'elle est devenue la maîtresse favorite. Ils s'attendront à Venise... Un patron hollandais vole à Candide l'essentiel de sa fortune et Candide ne peut obtenir justice. Désespéré par la méchanceté des hommes, il décide d'emmener avec lui l'homme le plus dégoûté de son état et le plus malheureux de la province. Il choisit, parmi une foule de prétendants, le philosophe Martin, et part avec lui pour Bordeaux.

Chapitres 20 et 21 (p. 193-197). Candide et Martin assistent pendant leur traversée à un combat naval. Des centaines d'hommes sont engloutis. Martin a tendance à penser que ce monde-ci a été abandonné par Dieu à quelque principe du mal. Les hommes comme les bêtes ont toujours la même nature, qui n'est ni belle ni bonne.

Chapitre 22 (p. 198-207). Candide, qui a voulu connaître Paris, succombe à la rouerie d'une drôlesse et il est volé par un petit abbé périgourdin. C'est lui pourtant qui manque d'être envoyé en prison. Il parvient, toujours en compagnie de Martin, à gagner Dieppe puis Portsmouth.

Chapitre 23 (p. 208-209). Mais il ne veut même pas débarquer, tellement il est horrifié d'avoir vu fusiller de sang-froid, par les Anglais, l'amiral Byng, qui a commis le crime d'être vaincu.

Thunder-ten-tronckh
LE DOGME :
« Tout est au mieux... » (138)

L'optimisme de Pangloss et la candeur de Candide confrontés à la RÉALITÉ DU MAL.
L'accent est mis avant tout sur les malheurs humains, ceux que causent la nature, les coutumes, les institutions, l'état social.

○ **Allemagne** - Le recrutement forcé (140) - La guerre (142-143)

○ **Hollande** - La vérole (145)

○ **Lisbonne** - Les catastrophes naturelles : la tempête (147), le tremblement de terre (148)

Lisbonne - L'inquisition (150)

○ **En mer** - Récit de la vieille - La guerre civile (162) - La « rage des femmes » (163) - La peste (165) - La guerre (165)

○ **Buenos-Aires** - Les abus de pouvoir (169)

○ **Paraguay** - L'oppression paternaliste (171)

○ **Territoire des Oreillons** - Les mœurs étranges (176) - L'anthropophagie (177)

L'Eldorado
LE RÊVE
La société idéale (180)

OUEST ⟵ ✦ ⟶ **EST**

Surinam - LE RÉVEIL
« Une abomination », l'esclavage (189)

L'optimisme de Pangloss, la candeur de Candide confrontés à la RÉALITÉ DU MAL : l'avidité, les vices, les passions, les faiblesses des hommes.
Martin, le pessimisme de l'âme. L'accent est mis cette fois sur les maux de l'âme : l'avidité, les vices, les passions, les faiblesses des hommes.

○ **Surinam** - La fourberie, la rapacité (190)

○ **En mer** - La piraterie, la guerre (194)

○ **Paris** - La vanité, la passion du jeu, l'hypocrisie, les faiblesses de la chair (204)

○ **Angleterre** - L'orgueil nationaliste (208)

○ **Venise** - La défiance (210) - La prostitution (212) - Les vocations forcées (212) - La satiété blasée (214)

○ **Près de Constantinople** - Récits du baron et de Pangloss - La luxure (226) - La superstition (227)

○ **Propontide** - L'exploitation du travail d'autrui (231) - L'ennui (231) - L'ambition (233)

SILENCE AUX DOGMES ! (232)
Pour lutter contre le besoin, le vice, l'ambition, l'ennui,
CULTIVONS NOTRE JARDIN (234)

Les chiffres renvoient aux pages de *Candide* dans la collection « Folio » (Gallimard, éditeur).

Chapitre 24 (p. 209-213). Candide et Martin à Venise ne retrouvent pas Cunégonde, mais Paquette, l'ancienne maîtresse de Pangloss devenue prostituée. Le moine théatin Giroflée n'est pas plus heureux qu'elle, ayant été obligé, sans aucune vocation, de devenir moine pour laisser l'héritage à son aîné.

Chapitre 25 (p. 214-219). La satiété et le dégoût. Le sénateur Pococuranté, riche, intelligent, comblé de tous les biens semble-t-il, n'est pas heureux. Rien ne peut plus lui plaire.

Chapitres 26, 27, 28, 29 (p. 219-230). Candide et Martin soupent le même soir avec six monarques qui ont perdu leurs États. Même les rois, donc, sont les marionnettes du destin, et il y a sur la terre des millions d'hommes plus à plaindre qu'eux. Cacambo, qui arrive enfin à Venise, est devenu esclave, et Cunégonde aussi, - d'un autre souverain détrôné, en Propontide. Pangloss, qui avait été mal pendu, et le frère de Cunégonde, mal tué, rament sur une galère, châtiés pour affaire de mœurs. Candide les rachète tous, et il se résout à épouser Cunégonde bien qu'elle soit devenue non seulement laide mais acariâtre.

Chapitre 30 (p. 230-234). Candide a acquis une petite métairie, mais seul Cacambo travaille et il est excédé. Les autres discutent dans le vide, et s'ennuient. A Constantinople, coups d'état et meurtres politiques se succèdent. Mais toutes les expériences qu'il a subies, la consultation d'un derviche et la sagesse pratique d'un bon vieillard poussent Candide à de profondes réflexions. Toute la petite société, même l'incorrigible Pangloss, se rallie à sa conclusion : il faut cultiver notre jardin.

L'appel à la complicité du lecteur : le grand problème posé

Dans la si jolie « épître dédicatoire » de *Zadig* à la plus jolie encore sultane Sheraa, - « charme des prunelles, tourment des cœurs, lumière de l'esprit », - le poète Sadi présente doucement, en réalité, chacun des « petits livres » de Voltaire, ces étranges « traductions » de vieux sages ou de docteurs savantissimes que le philosophe aux mille tours fait publier sous les noms les plus inattendus.

« *Ouvrage qui dit plus qu'il ne semble dire*, prévient-il comme en s'excusant; *je vous prie de le lire et d'en juger* [1] ».

Les histoires « sans raison et qui ne signifient rien » sont bien agréables, et Voltaire connaît leur charme, leur magie [2]. On devine qu'il ne se privera pas d'en user, à l'occasion, pour celles qui signifient quelque chose. Mais l'essentiel sera toujours pour lui, comme faisait Pascal mais par de tout autres moyens, de *provoquer* son lecteur, de l'inviter à voir, à sentir, à rire et à s'indigner avec lui, et finalement, dit-il en propres termes, à lui « faire l'honneur de *parler raison* » en sa compagnie, d'*éprouver* et de *juger* [3]. « *Les livres les plus utiles sont ceux dont les lecteurs font eux-mêmes la moitié* », dit encore Voltaire. La lecture qu'il demande est une collaboration critique.

Tous les auteurs le souhaitent, dira-t-on. Sans doute. Mais plus particulièrement, on l'avouera, les écrivains obligés de cacher une partie de ce qu'ils pensent, même lorsqu'ils écrivent sous des noms d'emprunt. Cas de *force majeure* ! « Courageux jusqu'au bûcher, mais exclusivement si possible », dit Montaigne [4]. « La crainte des fagots est très rafraî-

1. *Romans et Contes de Voltaire* (éd. Folio, Gallimard), p. 21.
2. *Ibid.*, p. 22.
3. *Ibid.*, p. 21 et 22.
4. *Essais*, IX, 1.

chissante », dit Voltaire [1]. Lorsqu'on brûle les hommes et les livres, la première exigence de la sagesse n'est-elle pas de tromper les censures pour que la vérité puisse apparaître quand même, nue, à tous ceux qui ont, pour la voir, des yeux aimants et libres, perspicaces, capables de chercher au-delà des apparences ?

LES PRUDENCES DE VOLTAIRE

LARVATUSPRODEO confiait à qui voulait l'entendre la mystérieuse devise de Descartes. Les mots n'étaient pas séparés jadis, en latin, et cet usage étant resté en honneur pour les textes gravés sur les médailles, la devise pouvait se lire de deux façons bien différentes : *Larvatus pro Deo*, Je suis masqué pour la défense de Dieu, ou *Larvatus prodeo*, Je m'avance masqué...

Voltaire est encore plus prudent et plus cynique : « *Frappez, et cachez votre main* », recommande-t-il à ses complices en « bonne philosophie ». Il ne faut pas périr, comme Samson, sous les ruines du temple qu'on fait s'écrouler [2]. On ne doit jamais rien donner sous son nom qui puisse autoriser une répression judiciaire. « Je n'ai même pas fait *La Pucelle*. Me Joly de Fleury aura beau faire un réquisitoire, je lui dirai qu'il est un calomniateur, que c'est lui qui a fait *La Pucelle*, qu'il veut méchamment mettre sur mon compte [3]... » « Dès qu'il y aura le moindre danger, je vous demande en grâce de m'avertir afin que je désavoue l'ouvrage dans tous les papiers publics avec ma candeur et mon innocence ordinaires [4]. »

Pour *Candide*, Voltaire se surpasse : « Qui sont les oisifs qui m'imputent... cette plaisanterie d'écolier qu'on m'envoie de Paris ? J'ai vraiment bien autre chose à faire... Dieu me garde d'avoir la moindre part à cet ouvrage [5]. » Il brouille même totalement les cartes dans une lettre semi-publique au distingué pasteur Vernes où il trouve le moyen, tout à la fois, de désavouer *Candide* et de soutenir, au nom de « notre sainte religion », que c'est un roman parfaitement

1. *Œuvres*, éd. Moland, XLII, 191.
2. Lettre à d'Alembert, 7 mai 1761.
3. Lettre à Helvétius, 13 août 1762.
4. Lettre à d'Alembert, 19 septembre 1764. (L'ouvrage dont il s'agit est le *Dictionnaire philosophique*.)
5. Lettres à Formey et à Thiériot, mars 1759.

orthodoxe : « J'ai lu enfin *Candide*; il faut avoir perdu le sens pour m'attribuer cette coïonnerie; j'ai, Dieu merci, de meilleures occupations. Si je pouvais excuser jamais l'Inquisition, je pardonnerais aux inquisiteurs du Portugal d'avoir pendu le raisonneur Pangloss pour avoir soutenu l'optimisme. En effet cet optimisme détruit visiblement les fondements de notre sainte religion; il mène à la fatalité; il fait regarder la chute de l'homme comme une fable, et la malédiction prononcée par Dieu même contre la terre comme vaine. C'est le sentiment de toutes les personnes religieuses et instruites : elles regardent l'optimisme comme une impiété affreuse. Pour moi qui suis plus modéré, je ferais grâce à cet optimisme, pourvu que ceux qui soutiennent ce système ajoutassent qu'ils croient que Dieu, dans une autre vie, nous donnera, selon sa miséricorde, le bien dont il nous prive en ce monde selon sa justice. C'est l'éternité à venir qui fait l'optimisme, et non le moment présent [1]. »

LE DOCTEUR RALPH A-T-IL TOUT DIT?

... Mais Voltaire sait fort bien qu'en dépit de toutes ses précautions on reconnaîtra sa griffe, - comme sous l'occupation allemande le style de Mauriac ou les rythmes d'Aragon faisaient immédiatement reconnaître la prose du *Cahier noir* ou les poèmes de *La diane française*. Voltaire fixe ses demeures, l'année même où il écrit *Candide*, à proximité immédiate de trois frontières [2] : quelques « trous sous terre » sont indispensables aux philosophes, dit-il, « contre les chiens qui courent après eux »... Mais cela même risque de ne pas suffire. C'est pourquoi une question se pose : Voltaire a-t-il pris, dans le conte lui-même, d'autres précautions que de le présenter comme « *traduit de l'allemand de M. le docteur Ralph avec les additions qu'on a trouvées dans la poche du docteur, lorsqu'il mourut à Minden, l'an de grâce 1759* [3] »? A-t-il escamoté purement et simplement certaines conclusions parmi les plus audacieuses? Les a-t-il livrées à retardement, si je puis dire, pour qu'elles ne scandalisent pas dès l'abord

1. Lettre du 15 mars 1759.
2. France, Suisse, Savoie.
3. Ceci est la suscription complète de l'édition de 1761, qui comporte effectivement un certain nombre d'additions au texte primitif, et de modifications (voir plus loin, p. 38, 52, 53, 79).

et que chacun soit invité à continuer la lecture (convaincre seulement les convaincus ne l'intéresse guère)? Ou bien nous a-t-il livré en fin de compte et du conte, sous le voile, parmi les malices suggestives, sa pensée réelle sinon complète?

Il n'est pas facile de répondre, comme on va le voir, si l'on s'en tient au seul texte de l'œuvre. Le lecteur effectivement, entre les sourires, est invité à faire sinon la moitié, du moins une bonne partie du travail.

L'UNITÉ DU CONTE

Abordons d'emblée le problème essentiel, celui qui est souligné très clairement par le sous-titre : « Candide, ou *l'optimisme* ». Le docteur Pangloss n'est pas seulement la caricature savoureuse de tous les philosophes-perroquets du monde, admirablement capables de broder toutes les variations possibles sur les quelques principes qui sont devenus la forme même de leur esprit et à travers lesquels ils voient toutes choses; Voltaire nous présente expressément son docteur borgne comme le représentant patenté d'une doctrine précise, et c'est même cette doctrine à elle seule qui fait l'unité du conte, Voltaire se contentant de lui opposer, en exemples innombrables, les seules preuves qu'il connaisse, c'est-à-dire la réalité des faits, les constats de l'expérience. A la fin de *Candide* chaque lecteur est édifié : le système de *l'optimisme philosophique* n'est qu'une vue de l'esprit; il n'est pas seulement ridicule et odieux, il est absurde.

Or son auteur, Leibnitz, n'est aucunement un imbécile ou un illuminé. « L'une des plus belles intelligences qui aient paru », écrit Bertrand Russell, qui n'est pas leibnitzien. Mathématicien génial, mais également physicien très soucieux du concret, chimiste, inventeur d'une machine à calculer supérieure à celle de Pascal, du compas algébrique, du compresseur d'air, l'un des précurseurs du sous-marin, véritable personnalité européenne en relation avec les plus grands esprits de son temps, historien, diplomate, apôtre de l'unité des Églises, son nom et son œuvre demeurent célèbres, et à juste titre. On devine qu'un tel homme n'a pas été sans raisons sérieuses pour édifier la construction à laquelle s'attaque *Candide*, sa fameuse *Théodicée* (parue en 1710).

Ces raisons, Voltaire les connaît parfaitement... Seulement, il se garde bien de nous les donner. Il nomme Leibnitz, oui, sans hésitation, de préférence à tel ou tel de ses épigones beaucoup plus faciles à réfuter : Wolf, Kahle, Deschamps, Pope, Pluche, Derham, etc. Il le désigne comme le Maître vénéré de Pangloss. Mais il le fait seulement, c'est très caractéristique, à l'extrême fin du conte (p. 228), lorsque pratiquement il ne reste plus rien de son système, lorsque Candide, Pangloss lui-même et naturellement tous les lecteurs commencent à chercher autre chose... Surtout il laisse volontairement dans l'ombre, jusqu'au bout, ce qu'il faut bien appeler « la raison suffisante [1] » de Leibnitz, la nécessité logique impérieuse sans laquelle ce mathématicien n'eût jamais imaginé, et présenté comme irréfutable, la proposition effarante qui fait le leitmotiv du conte : tout est pour le mieux dans le meilleur des mondes possibles.

LA DÉMONSTRATION DE LEIBNITZ

Leibnitz, en fait, voulait répondre à Bayle qui avait remis au grand jour, dans son *Dictionnaire*, l'une des objections fondamentales [2] d'Épicure aux superstitions religieuses des hommes. Et il avait établi la démonstration suivante :

Si Dieu existe, il est parfait, et il est seul parfait. Par conséquent, tout ce qui n'est pas lui est nécessairement imparfait, - sinon Dieu ne serait pas Dieu ; il y aurait contradiction.

Mais d'autre part, si Dieu est parfait, il est, par la même nécessité,

- tout-puissant ; il peut tout ce qu'il veut.
- toute bonté et toute justice ; il ne veut que le bien.
- toute sagesse ; il sait exactement et harmonieusement adapter les moyens aux fins.

Il en résulte que, si Dieu existe, il a nécessairement *pu*, *voulu* et *su* créer le moins imparfait de tous les mondes imparfaits théoriquement concevables, le mieux adapté aux fins suprêmes, - *le meilleur des mondes possibles*.

On comprend dès lors pourquoi Pangloss affirme dès sa première tirade (p. 138) :

1. Principe selon lequel rien n'arrive sans raison déterminante.
2. Voltaire la rappellera lui-même dans son *Dictionnaire philosophique* à l'article « Tout est bien ». Voir plus loin, p. 41.

« Par conséquent, ceux qui ont avancé que tout est bien ont dit une sottise; il fallait dire que tout est au mieux. »

La formule « Tout est bien » est une sottise en effet, même s'il arrivait à beaucoup de leibnitziens, à Pope par exemple, et à Pangloss lui-même de l'employer dans la conversation. Le mal existe, Leibnitz ne le nie pas. Il affirme seulement, si l'on peut dire, que tous les maux de la création et des créatures ne pouvaient pas être moindres, et qu'en réalité ils ne sont tels que pour ceux qui les souffrent. Ils trouveraient leur explication et leur justification si nous étions capables de voir l'ensemble. Dans *l'harmonie* de l'immense tableau de maître composé par le grand peintre de l'univers, « les ombres rehaussent les couleurs » selon Leibnitz ; « Dieu... tourne tous les défauts de ces petits mondes [les individus] au plus grand ornement de son grand nombre... Ainsi les difformités apparentes de nos petits mondes se réunissent en beautés dans le grand »... « Les défauts apparents du monde entier, ces taches d'un soleil dont le nôtre n'est qu'un rayon, relèvent sa beauté bien loin de la diminuer [1]. »

Et Rousseau, qui proposait de corriger le fautif « *Tout est bien* » en « *Le tout est bien* », avait pris soin de rappeler à Voltaire, dans sa fameuse lettre du 18 août 1756 en réponse au *Poème sur le désastre de Lisbonne*, que la démonstration de Leibnitz était absolument contraignante : « Ces questions se rapportent toutes à celles de l'existence de Dieu. Si Dieu existe, il est parfait, s'il est parfait, il est sage, puissant et juste ; s'il est sage et puissant, etc... Si l'on m'accorde la première proposition, jamais on n'ébranlera les suivantes ; si on la nie, il ne faut pas discuter sur ses conséquences. »

On ne peut vraiment pas dire que Voltaire, en dénonçant « l'optimisme », ignorait la portée réelle de sa critique.

QUE FAUT-IL DÉDUIRE ?

Mais alors une question se pose : quelle conclusion, sur le plan philosophique, Voltaire souhaite-t-il nous faire tirer de *Candide* ? Serait-ce l'athéisme ? Pangloss a beau employer constamment dans ses tirades les mots « il est *démontré* », « il est *prouvé* », Voltaire nous fait comprendre dès le début

---

1. Leibnitz, *Théodicée*, édition française de Jaucourt, parue en 1747 (douze ans avant *Candide*), II, 12 et 53 ; III, 149.

du conte que ces *démonstrations*, ces *preuves*, même lorsqu'elles tiennent logiquement, ce qui est rare pour Pangloss, ne sont que des démonstrations théoriques et des preuves « *a priori* » (il le dit expressément, p. 148, dans une de ses phrases les plus accusatrices [1]). Faites uniquement pour satisfaire l'esprit théorique, elles n'ont aucun fondement dans le réel. « *Si c'est ici le meilleur des mondes possibles, que sont donc les autres?* » s'étonne à Lisbonne le pauvre Candide après une première série d'épouvantables malheurs. La formule, doucement naïve comme il sied au personnage, prouve que Candide n'a rien compris à Leibnitz puisque précisément dans le système de la *Théodicée* il n'y a pas d'autres mondes terrestres aujourd'hui réalisés, le nôtre étant le seul à pouvoir être voulu par Dieu parmi tous les autres mondes théoriquement concevables, mais que sa bonté et sa sagesse étaient obligées de refuser... Seulement cette formule douce et naïve, chaque lecteur, à la fin du chapitre v, est prêt à la faire sienne. Voltaire a déjà gagné. « Les preuves » de Pangloss, quelles qu'elles soient, n'ont pas résisté à « l'épreuve » des faits. Elles se révèlent déjà, après vingt pages, pour ce qu'elles sont, des vessies gonflées de vent qu'il ne peut plus être question de nous faire prendre pour des lumières, même pour des lanternes.

Sans doute. Mais l'avertissement de Rousseau? Pourquoi Voltaire n'a-t-il jamais donné en entier le raisonnement de Leibnitz, et en particulier son point de départ? Pense-t-il que tous les lecteurs du XVIIIe siècle le connaissent suffisamment? A-t-il peur que n'apparaisse trop criante la déduction : « Puisque tout n'est pas au mieux, c'est que le premier point de ce raisonnement est à reprendre; la divinité toute-puissante et parfaitement bonne n'existe pas »? Veut-il nous la faire trouver nous-mêmes en ne l'insinuant dans notre esprit que peu à peu, pour le cas probable où nous répugnerions à l'accepter de but en blanc? La réponse semble claire. Si Voltaire demeure tellement discret sur la portée réelle de sa critique, ce serait tout simplement par prudence, ou par rouerie, ou pour les deux à la fois. En réalité, il conclut

1. Pangloss vient d'empêcher Candide de sauver le bon anabaptiste « en lui prouvant que la rade de Lisbonne avait été formée exprès pour que cet anabaptiste s'y noyât ». Voltaire enchaîne aussitôt, imperturbable : « Tandis qu'il le prouvait *a priori*, le vaisseau s'entrouvre, tout périt, à la réserve de Pangloss, de Candide, et de ce brutal de matelot qui avait noyé le vertueux anabaptiste... » (p. 148).

et fait conclure ses lecteurs éclairés, bourgeoisie montante ou noblesse insouciante, à l'*athéisme* - mais sans le dire bien entendu, ni aux pouvoirs dont il craint les prisons (il a tâté de la Bastille !), ni aux petites gens dont il craint les exactions possibles contre les riches s'il n'y a plus de juge suprême.

Telle est bien, en tout cas, la solution la plus habituellement adoptée par les jeunes lecteurs d'aujourd'hui. Abordant Voltaire par *Candide*, et le reste de l'œuvre leur demeurant forcément assez peu connu, ils n'hésitent guère sur le sens du conte. Qu'ils l'approuvent ou qu'ils la condamnent, l'astuce du philosophe leur paraît presque trop évidente. Comme le pensait déjà au XVIIIe siècle Naigeon, l'ami de Diderot, ils concluent de *Candide* que la doctrine secrète de son auteur était très vraisemblablement la négation complète du divin.

LA RELIGION DE L'ELDORADO

De quel poids en effet peuvent être, en face de la terrible accusation de tous les autres chapitres, la seule évocation utopique du royaume d'Eldorado, les réponses, à Candide qui lui demande comment on prie Dieu dans son pays, d'un bon vieillard tout souriant : « Nous ne le prions point, dit le bon et respectable sage... Nous le remercions sans cesse... Nous sommes tous prêtres ; le roi et tous les chefs de famille chantent des cantiques d'actions de grâces solennellement tous les matins ; et cinq ou six mille musiciens les accompagnent » (p. 184)? Une minute auparavant d'ailleurs, le vieillard, qui ne se soucie guère de se contredire, a dit à Candide, en *rougissant* : « Nous avons, je crois, la religion de tout le monde ; nous adorons Dieu du soir jusqu'au matin. »... « *Du soir jusqu'au matin* », cette dernière expression qui retourne agréablement l'expression courante fait penser davantage, on l'avouera, étant donné l'atmosphère d'indécence désinvolte qui règne dans tout *Candide*, à une certaine « religion de tout le monde [1] » fort nécessaire à la propagation de

---

1. Beaumarchais, qui connaissait bien son Voltaire dont il fut le premier grand éditeur posthume, a repris partiellement cette plaisanterie : « *Quand cesserez-vous, importun, de me parler de votre amour du matin au soir ?* », demande Suzanne à Figaro qui vient de l'embrasser. Figaro répond, *mystérieusement*, nous dit l'auteur : « *Quand je pourrai te le prouver* DU SOIR JUSQU'AU MATIN. »

l'espèce selon le plan divin, plutôt qu'aux pieuses dévotions des moines contemplatifs.

Il paraît évident que Voltaire, ici, ne songe guère à nous persuader du théisme, mais tout au plus à nous indiquer, en souriant, ce que pourrait être une religion inoffensive [1]. Il réintroduit d'ailleurs aussitôt, toujours en se jouant, l'une de ses critiques les plus habituelles :

« - Quoi ! vous n'avez point de moines qui enseignent, qui disputent, qui gouvernent, qui cabalent, et qui font brûler les gens qui ne sont pas de leur avis ? - Il faudrait que nous fussions fous, dit le vieillard ; nous sommes tous ici du même avis, et nous n'entendons pas ce que vous voulez dire avec vos moines. » Candide à tous ces discours demeurait en extase, et disait en lui-même : « Ceci est bien différent de la Westphalie et du château de monsieur le baron : si notre ami Pangloss avait vu Eldorado, il n'aurait plus dit que le château de Thunder-ten-tronckh était ce qu'il y avait de mieux sur la terre ; il est certain qu'il faut voyager » (p. 184-185).

Un tel paragraphe à lui seul, avec sa conclusion inattendue et savoureuse, tellement en deçà, ici encore, de ce que peut conclure le lecteur, nous invite bien, semble-t-il, à ne pas prendre trop au sérieux cet Eldorado idyllique.

L'APOLOGUE DU DERVICHE

Quant à la consultation donnée à la fin du conte par le derviche très fameux qui passe pour le meilleur philosophe de la Turquie (p. 232), que peut-on en déduire ? Le ton est sérieux cette fois, bien que Candide, ignorant des usages turcs, appelle cocassement le derviche « mon révérend père ». Alors même que le derviche n'a formulé aucune thèse, bien au contraire, Candide lui oppose, obsédé en réalité par les théories de Pangloss, l'objection décisive :

« - Mais, mon révérend père, il y a horriblement de mal sur la terre.

---

1. A peine suggérée, sa critique de la *prière* vise à mettre en contradiction avec eux-mêmes de nombreux chrétiens certes, mais aussi de nombreux théistes. Voltaire l'a toujours soutenu : demander quelque chose à Dieu, c'est de l'outrecuidance, c'est supposer que Dieu à la suite d'une requête pourrait modifier si peu que ce soit ses desseins éternels, donc que ceux-ci n'étaient pas excellents.

– Qu'importe, dit le derviche, qu'il y ait du mal ou du bien ? Quand Sa Hautesse envoie un vaisseau en Égypte, s'embarrasse-t-elle si les souris qui sont dans le vaisseau sont à leur aise ou non ? »

La comparaison est tout à fait à sa place dans la bouche du personnage, mais elle ne résout nullement le problème. Au contraire, elle répète un argument de certains défenseurs de Leibnitz en nous suggérant qu'il n'est pas fondé. Sa Hautesse le grand sultan, en effet, n'a pas *créé* les souris, et personne n'a jamais prétendu qu'il était parfaitement bon et parfaitement sage, tout-puissant dans tous les domaines : il n'est pas comptable des souris... Mais que serait un Dieu créateur qui ne s'occuperait pas davantage de ses créatures, qui les ignorerait même totalement ? Pourquoi les aurait-il créées ? Où serait sa providence, et sa justice ?

La phrase du derviche, à la vérité, est aussi négatrice que la constatation désolée de la sagesse hindoue : « Le sens du monde est aussi inaccessible à l'homme que la conduite des chars des rois aux scorpions qu'ils écrasent », et le derviche ne la présente aucunement comme satisfaisante. A Pangloss qui n'a pas encore compris, et qui se flatte de *raisonner* un peu, avec celui qu'il considère comme son collègue, « des effets et des causes, du meilleur des mondes possibles, de l'origine du mal, de la nature de l'âme et de l'harmonie préétablie », le derviche, brutalement, ferme la porte au nez. Il lui a dit déjà une fois de *se taire*, et il entend qu'il le fasse. On ne *raisonne* pas sur l'invérifiable.

LE DOUTE DE VOLTAIRE

Mais cette injonction, remarquons-le, n'implique nullement l'athéisme. De nombreux apologistes chrétiens la formulent avec la même force : « Humiliez-vous, raison impuissante, taisez-vous, nature imbécile », crie Pascal. « La sagesse humaine apprend beaucoup si elle apprend à se taire », dit Bossuet. L'auteur de *Candide* est ici en bonne compagnie... De fait, l'étude attentive de ses textes les plus personnels, certains poèmes en particulier, ses lettres écrites à des correspondants sûrs, ou son *Carnet de notes*, obligent à dire que Voltaire semble bien n'avoir jamais conclu pour sa part, à aucun moment de sa vie, pour l'athéisme. Sa position la plus extrême sur ce point, c'est le doute, comme il l'indique d'ailleurs très nettement dans son *Poème sur le désastre de Lisbonne*.

Voltaire avait employé la comparaison des souris dès 1736, vingt-trois ans avant *Candide*, dans une lettre au prince Frédéric de Prusse où il n'avait aucune raison pour n'être pas sincère : « Il n'y a pas d'apparence que les premiers principes des choses soient jamais bien connus. Les souris qui habitent quelques petits trous d'un bâtiment immense ne savent ni si ce bâtiment est éternel, ni quel en est l'architecte, ni pourquoi cet architecte a bâti... Nous sommes les souris, et le divin architecte qui a bâti cet univers n'a pas encore, que je sache, dit son secret à aucun de nous. » Ce texte est significatif : Voltaire envisage un instant que l'immense bâtiment de l'univers puisse être lui-même éternel, - donc, semble-t-il, incréé, - les souris pouvant être en ce cas, conformément à la thèse matérialiste de Diderot, « des portions nécessairement organisées d'une matière éternelle et nécessaire ». Mais cette hypothèse à peine émise, Voltaire l'abandonne, et il s'interroge sur *l'architecte*, il l'appelle *divin*, tout en étant bien obligé de reconnaître que ce Dieu n'a révélé à personne l'énigme du monde.

Va-t-il s'en tenir là ? - Non. Vingt fois, trente fois, cinquante fois, il essaie d'aller plus loin. Refusant résolument le Dieu jaloux de Saint Augustin et des Jansénistes, celui dont Pascal a osé écrire « qu'on n'entendait rien à ses ouvrages si l'on ne prenait pour principe qu'il a voulu éclairer les uns et aveugler les autres [1] », Voltaire compose à plusieurs reprises, pour lui seul, de véritables *prières* qui ne ressemblent aucunement aux actions de grâces de l'Eldorado. Il fait à Dieu, en quelque sorte, l'hommage de ses doutes et de son incrédulité, comme d'une exigence d'amour :

« Entends, Dieu que j'implore, entends, du haut des cieux,
     Une voix plaintive et sincère ;
Mon incrédulité ne doit pas te déplaire,
     Mon cœur est ouvert à tes yeux ;
On te fait un tyran, en toi je cherche un Père,
Je ne suis pas chrétien, mais c'est pour t'aimer mieux [2]. »

---

1. *Pensées*, éd. Brunschvicg, n° 566.
2. *Épître à Uranie* et *Poème sur la loi naturelle*. L'*Épître à Uranie* n'était pas destinée primitivement à la publication.

VOLTAIRE LEIBNITZIEN

C'est même poussé par cette volonté d'amour (et par son amitié pour Mᵐᵉ du Châtelet) que Voltaire, pendant quelques années, s'est attaché à la doctrine de Leibnitz, acceptant parfois ses conséquences les plus absurdes. Il s'en souvient, lorsqu'il écrit *Candide* ! Il met dans la bouche de Pangloss, presque textuellement, certaines des phrases qu'il a écrites lui-même; il les modifie juste assez pour que le grotesque et l'odieux en apparaissent en pleine lumière : « Ce qui est mauvais par rapport à nous est bon dans l'arrangement général », écrivait Voltaire en 1738. Pangloss énoncera crûment, cruellement : « Les malheurs particuliers font le bien général » (p. 147).

... Et Voltaire lui aussi, comme Pangloss à Lisbonne, a été dénoncé par de révérends pères comme « leibnitzien », c'est-à-dire comme « niant en fait le péché originel ». Écoutons ce que disait le Père Castel dans ce *Journal de Trévoux* qui resurgit si cocassement dans la pensée de Candide au moment où on s'y attend le moins (p. 176) : « Un Pope en Angleterre, un Voltaire en France, comme s'ils avaient une mission pour cela, et avec une espèce d'enthousiasme, ne cessent de nous prêcher, en prose et en vers, qu'il n'y a pas de mal, que la nature est bien, que le système régnant est celui de la belle nature, qu'elle est telle qu'elle a dû être, et qu'elle ne pouvait être autrement [1]. »

Le Père Castel peut se fonder, pour écrire cela, sur bien des textes du philosophe, mais il ne devine pas la réalité psychologique, à la fois beaucoup plus complexe et beaucoup plus simple : selon ses joies et ses peines, le calme ou les tourments que lui donnaient ses travaux et ses amours, selon sa maladie, ses humeurs, ses succès ou ses échecs au théâtre, selon que l'Europe connaissait la paix ou la guerre que la philosophie était écoutée ou persécutée, Voltaire inclinait vers l'optimisme ou vers le pessimisme, - comme presque nous tous, au gré des vents !... Du moins savait-il presque toujours s'en rendre compte. La girouette humaine ne peut marquer aucune direction dans l'infini; elle marque seulement nos incertitudes, et nos besoins.

---

1. *Journal de Trévoux*, février 1737.

LA FOI DE VOLTAIRE

Lorsqu'il essaie de faire abstraction complète de ses tendances du moment, Voltaire avoue (c'est encore dans une lettre, à Frédéric) : « Je ne crois pas qu'il y ait de démonstration proprement dite de l'existence de cet Être suprême indépendant de la matière... On ne peut appeler démonstration un enchaînement d'idées qui laisse toujours des difficultés... Donc cette vérité ne peut être mise au rang des démonstrations proprement dites. » Cependant Voltaire ajoute aussitôt : « Je la crois cette vérité; mais je la crois comme ce qui est le plus vraisemblable; c'est une lumière qui me frappe à travers mille ténèbres [1]. »

On a oublié en général ces phrases de Voltaire. Elles existent pourtant. Voltaire *croit*, et *sans comprendre*. « Je ne saurais comprendre... s'il y a un Dieu ou s'il n'y en a point », note-t-il dans son *Carnet* [2]. Cela dépasse notre intelligence! D'un côté, l'agencement de l'univers, cette horloge qui « marche », finalement, malgré toutes les catastrophes, et qui implique donc un horloger [3], de l'autre, toutes les souffrances et les injustices du monde, la monstrueuse inégalité des possibilités de bonheur et de malheur entre les êtres. Pourquoi le nègre de Surinam est-il misérable, ignorant, voué à toutes les tortures (p. 189), tandis que le noble Pococuranté s'ennuie à Venise accablé sous les richesses (p. 214-219)? Pourquoi est-ce Jacques, le bon anabaptiste, qui meurt en rade de Lisbonne, à la vue de celui qu'il vient de sauver et qui le laisse périr sans un regard, et pourquoi seul, avec Candide et Pangloss, le matelot barbare est-il sauvé (p. 148)? Pourquoi les milliers de victimes des tremblements de terre et de toutes les autres catastrophes naturelles (p. 149)? Qu'est-ce que l'ordre du monde, s'il implique le hasard aveugle? Peut-on encore admirer la marche de l'horloge, lorsqu'on sait que ses aiguilles fauchent impitoyablement les candides comme les coupables?

---

1. Lettre du 17 avril 1737.
2. *Notebooks*, p. 74.
3.　　　« L'univers m'embarrasse et je ne peux songer
　　　　Que cette horloge marche et n'ait pas d'horloger »
　　　　　　　　　　　　　　　　　　　　　　(*Satires, Les Cabales*).
« Si une horloge n'est pas faite pour montrer l'heure, j'avouerai alors que les causes finales sont des chimères et je trouverai bon qu'on m'appelle *cause-finalier*, c'est-à-dire un imbécile » (*Dictionnaire philosophique*, article *Causes finales*).

3 Le sens et la portée du conte

Candide a été écrit, cela paraît certain, à l'un des moments de la vie de Voltaire où il était le moins théiste. Mais il demeurait croyant. Il résumait sa position à l'égard de la divinité, en ces heures-là, par l'une de ces boutades dont il a le secret, très nuancées, d'un humour presque visuel : « *Nous nous saluons*, disait-il, *mais nous ne nous parlons pas.* » Réciprocité savoureuse! Dieu et l'homme apparaissent aussi gênés l'un que l'autre, semble-t-il. Dieu sait bien que la présence de tant de mal dans l'univers ne peut que paraître incompréhensible et scandaleuse aux créatures qu'il a douées d'une âme; mais comment l'homme de son côté, au fond de lui-même, se sentirait-il irréprochable à l'égard de son Seigneur?... Voltaire, donc, continue de saluer son Maître, poliment, courtoisement, avec à peine cette ironie légère qui est indispensable aux petits pour conserver leur dignité en face des puissants. Mais il ne lui parle plus... Et il affirme avec d'autant plus de force ce dont maintenant il est sûr : *Silence aux dogmes*. Les dogmes n'expliquent pas les maux des hommes, ils les aggravent. Notre raison est une raison humaine, *terrestre*, adaptée uniquement à la terre, féconde uniquement selon nos expériences. Ne l'employons donc que pour la terre, et en la soumettant toujours au contrôle des faits. La sagesse véritable ne peut être qu'une sagesse pratique.

LE REJET DE TOUTE MÉTAPHYSIQUE

Telle est, sur le plan dont nous parlons, la première leçon indiscutable de *Candide*, c'est-à-dire le refus absolu de toute métaphysique, - autant par modestie devant l'inconnaissable que par réalisme devant l'expérience. On juge un arbre à ses fruits, dit l'Évangile. Or les fruits de la métaphysique empoisonnent les humains. Voltaire ne le prouve pas, il le montre. La métaphysique est littéralement, dit-il, une *vanité*, c'est-à-dire à la fois du vide et de l'orgueil, une maladie de l'esprit qui engendre nécessairement une sorte d'inconscience du réel, grotesque chez Pangloss, hypocrite chez la plupart, monstrueuse chez les inquisiteurs. Voltaire sur ce point est intarissable :

« Écartons ces romans qu'on appelle systèmes [1]. »

« Le sang a coulé... pour des arguments de théologie, tantôt dans un pays, tantôt dans un autre, pendant cinq cents années presque sans interruption, et ce fléau n'a duré si longtemps que parce qu'on a toujours négligé la morale pour le dogme [2]. »

« Il n'y a pas un article de foi qui n'ait enfanté une guerre civile [3]. »

« Tout dogme est ridicule, funeste; toute contrainte sur le dogme est abominable. Ordonner de croire est absurde. Bornez-vous à ordonner de bien vivre [4]. »

LA MORALE DE L'EXPÉRIENCE

Et la leçon du conte sur le plan moral dont Voltaire vient de nous dire qu'il est le plus important à ses yeux, c'est également la sagesse pratique. Ici encore *Candide* est certainement le texte le plus « laïque » de toute son œuvre. Presque partout ailleurs en effet, Voltaire le fonde expressément sur la croyance en Dieu, cet « ordre de bien vivre », - parfois avec une éloquence superbe, parfois aussi en des termes qui font obligatoirement douter de sa bonne foi :

---

1. *Poème sur la loi naturelle.*
2. *Essai sur les mœurs*, Conclusion.
3. Dernières remarques sur les *Pensées* de M. Pascal (n° 89).
4. Remarques sur *le Contrat social*, de Jean-Jacques Rousseau.

« Adore, et sois juste [1]. »

« Tout ce que je puis vous dire, c'est que si vous avez commis des crimes en abusant de votre liberté, il vous est impossible de prouver que Dieu soit incapable de vous en punir; je vous en défie... Le meilleur parti que vous avez à prendre est d'être honnête homme tandis que vous existez [2] » (c'est ici ce que l'on peut appeler *le pari de Voltaire*).

« Je veux que mon procureur, mon tailleur, mes valets, ma femme même croient en Dieu; et je m'imagine que j'en serai moins volé et moins cocu... La croyance des peines et des récompenses après la mort est un frein dont le peuple a besoin [3]. »

Dans *Candide* aucun besoin de recourir à l'éternel créateur pour apprendre que ce sont les actions des hommes qui importent, aucun envoyé de Dieu déguisé en ermite comme dans *Zadig*, aucun génie Ituriel comme dans la vision de Babouc *(Le monde comme il va)*, aucun ange gardien comme dans *Memnon*, même pas le rappel solennel des *Lettres philosophiques* : « Le port règle ceux qui sont dans un vaisseau; mais où trouverons-nous ce point dans la morale, demande l'auteur des *Pensées*? - Dans cette seule maxime reçue de toutes les nations : « Ne faites pas à autrui ce que vous ne voudriez pas qu'on vous fît [4]. »

Non, aucun prêche dans notre conte. Simplement la succession impitoyable, à côté des maux dont les hommes sont frappés par la nature, de ceux dont ils se frappent eux-mêmes, et dont il est permis de croire par conséquent qu'ils pourraient se délivrer s'ils le voulaient vraiment. La leçon se dégage toute seule de chaque chapitre. Au lieu de prier la divinité qu'elle les délivre du mal et de se plaindre d'elle ou de la louer, - que les humains, s'ils sont capables de quelque sang-froid, regardent en face les horreurs qu'ils s'infligent, et qu'ils en tirent les conséquences. Hommes, délivrez-vous du mal, Aidez-vous vous-mêmes.

1. *Œuvres*, éd. Moland, XXXVII, 56.
2. *Histoire de Jenni*, chap. x.
3. *Œuvres*, éd. Moland, XXVI, 511 et XXVII, 399.
4. *Lettres philosophiques*, Remarques sur les *Pensées* de M. Pascal, n° 42.

LE FANATISME

Le moins difficile à extirper de tous les grands maux sociaux, pour Voltaire, ce devrait être le fanatisme.

Il s'est documenté sérieusement sur l'Inquisition, beaucoup plus que le très mauvais article qu'il lui consacre dans le *Dictionnaire philosophique* ne pourrait le laisser croire. Fondée avant tout pour extirper l'hérésie des Albigeois [1], la juridiction spéciale confiée aux Dominicains par le pape Grégoire IX en 1233 avait été amenée peu à peu à sévir contre tous les « infidèles » : musulmans, protestants et renégats de tout bord, philosophes orgueilleux toujours suspects de déviationnisme, sorciers, et, bien entendu, Juifs (sauf lorsque ceux-ci avaient de très hautes protections de par leur rôle de banquiers comme le don Issacar de *Candide*, p. 155).

Voltaire, dans le *Traité sur la tolérance*, comme Montesquieu dans *L'esprit des lois*, argumente avec force contre tous ceux qui s'estiment assez sûrs de leurs opinions improuvables pour brûler à petit feu ceux qui n'aperçoivent pas les mêmes évidences. Dans *Candide*, conformément à sa méthode, il n'énonce même pas « les délits d'opinion » reprochés aux condamnés. Pour souligner l'absurde encore davantage, il se contente d'indiquer, sans aucune explication, les actes extrêmement légers pour lesquels les coupables vont recevoir leur châtiment. Un habitant de Biscaye est accusé d'avoir « épousé sa commère », c'est-à-dire la personne qui a été marraine de l'enfant dont il est lui-même parrain. Deux Portugais, « mangeant un poulet, en ont arraché le lard ». Pour Candide et Pangloss c'est encore pis : Pangloss « a parlé », et Candide a « écouté avec un air d'approbation », c'est tout (p. 151).

La charge paraît grosse, mais Voltaire est sûr que ses lecteurs le suivront. Une *Relation de l'Inquisition de Goa*, de Dellon, une *Histoire de l'Inquisition*, de Marsollier, avaient paru en France et en Allemagne à la fin du XVIIe siècle et la première en tout cas avait été très souvent réimprimée. L'on savait donc que les règlements de l'Inquisition portaient

---

1. Les Albigeois croyaient que Dieu, parfaitement bon, n'avait pas créé le monde mauvais. Le monde était l'œuvre d'un principe mauvais appelé d'ordinaire Satan, et parfois Satanaël.

effectivement : il faut *dénoncer* celui « qui retire de la chair des animaux dont il se nourrit le suif ou la graisse » car c'est une preuve qu'il observe les commandements de la loi mosaïque, qu'il « judaïse ». On savait que l'Église interdisait, sauf dérogation spéciale, le mariage entre le parrain et la marraine d'un même enfant (l'intrigue de *L'ingénu* reposera en grande partie sur cette prescription). On savait enfin que la procédure judiciaire des inquisiteurs était absolument secrète, que les dénonciations étaient permises et recommandées, que des « familiers » avaient mission de détecter les suspects, etc. : « Pour encourir le soupçon d'hérésie, dit Marsollier, il ne faut qu'avancer quelque proposition qui scandalise ceux qui l'entendent, ou même ne pas déclarer ceux qui en avancent de pareilles. » Le lecteur de *Candide* comprend donc facilement ici les quatre motifs de condamnation, y compris ceux de Pangloss et de Candide. Pangloss a avancé une proposition *scandaleuse*, entraînant objectivement, selon les inquisiteurs, la négation du péché originel ; Candide ne l'a pas dénoncé ; ils sont coupables (p. 150 [1]).

De même, pour le récit de l'*Auto-da-fé* (Acte de foi, cérémonie solennelle de jugement et de réparation destinée à affirmer la foi), Voltaire suit d'extrêmement près le texte et surtout les planches du livre de Dellon : « Ceux qui sont tenus pour convaincus [c'est-à-dire qui n'acceptent pas de faire leur confession, leur « autocritique »] portent une... espèce de scapulaire, appelé samarra, où le portrait du patient est représenté au naturel, devant et derrière, posé sur des tisons embrasés avec des flammes qui s'élèvent et des démons tout à l'entour... Mais ceux qui s'accusent et ne sont pas relaps portent sur leurs samarras des flammes renversées la pointe en bas. » Dellon parle aussi des « bonnets de carton » des condamnés, « élevés en pointe à la façon d'un pain de sucre, tout couverts de diables et de flammes de feu »... Même « les rafraîchissements » qui sont servis à Cunégonde et aux dames « entre la messe et l'exécution » (p. 155) trouvent leur origine dans une autre notation du même témoignage : la cérémonie étant fort longue, « il n'y eut personne qui ne mangeât ce jour-là dans l'église », rapporte Dellon.

---

1. Voir plus haut, p. 26.

Appuyé sur de tels documents, connus, je le répète, d'une bonne partie de ses lecteurs, Voltaire peut se permettre de corser la présentation générale, et tout de même d'inventer quelque peu, - toujours en vue de souligner l'absurde :

« Après le tremblement de terre qui avait détruit les trois quarts de Lisbonne, les sages du pays n'avaient pas trouvé un moyen plus efficace pour prévenir une ruine totale que de donner au peuple un bel auto-da-fé; il était décidé par l'université de Coïmbre que le spectacle de quelques personnes brûlées à petit feu, en grande cérémonie, est un secret infaillible pour empêcher la terre de trembler... Le même jour la terre trembla de nouveau avec un fracas épouvantable » (p. 150-151).

En réalité la terre trembla bien une seconde fois, en décembre 1755, mais sans qu'il y ait eu auto-da-fé. On en célébra un seulement le 20 juin 1756, puis de nouveau en 1757 et 1758, et certains fidèles superstitieux purent croire sans doute que de telles cérémonies leur vaudraient la clémence divine, mais les « sages du pays », en particulier les théologiens de la très célèbre université de Coïmbre, n'affirmèrent pas que c'était là un moyen très efficace pour prévenir les secousses sismiques ... Enfin et surtout, il n'y eut pas ces années-là au Portugal, semble-t-il, d'exécution de condamné. La dernière sentence de mort prononcée par l'Inquisition le fut en 1783, en Espagne [1].

Voltaire peut encore ici, dans tout le chapitre, conserver volontairement un ton dénonciateur certes, mais d'une très franche gaieté. Il ne se doute pas que sept ans plus tard, le 4 juin 1766, en France même, à Abbeville, un tribunal qui n'était pas d'Inquisition allait condamner le chevalier de la Barre [2] et son compagnon Gaillard d'Étallonde [3] à faire amende honorable de leurs impiétés devant le porche de la cathédrale Saint-Wolfram, pour, ensuite, avoir la langue coupée, être décapités et leurs corps jetés au feu [4]. Voltaire avait cru dans *Candide* écrire une somme de tous les maux

---

1. L'Inquisition y fut supprimée en 1808 par Napoléon Ier installé en Espagne, rétablie aussitôt après sa chute en 1814, supprimée définitivement en 1834.
2. Il avait vingt ans.
3. Celui-ci par contumace, heureusement; il avait réussi à s'enfuir. Voltaire obtiendra que Frédéric l'accueille en Prusse.
4. L'arrêt intégral, avec ses *attendus*, a été publié par le *Courrier Rationaliste* (1963, p. 179).

de son temps. La réalité dépassa la fiction. Le chevalier de la Barre ayant déclaré qu'il se défendrait jusqu'au bout si on essayait de lui couper la langue, on y renonça en fin de compte, - pour ne pas troubler le spectacle ! Il fut décapité devant une grande foule par le même bourreau qui venait de décapiter à Paris, tellement maladroitement qu'il lui fallut s'y reprendre à plusieurs fois, l'innocent Lally-Tollendal.

LA GUERRE

Voltaire va parvenir aussi à rire de la guerre. Mais cette fois ce n'est plus le rire de la gaîté, c'est le rire « grinçant » évoqué par Flaubert. Sur les cent années du XVIIIe siècle, l'Europe en a connu quatre-vingts de conflits, - non pas même pour la plupart de ces conflits idéologiques, sociaux ou nationaux pour lesquels les hommes peuvent estimer qu'il vaut la peine de tuer et de mourir, défendant une liberté ou des bases de justice politique et sociale élémentaire sans lesquelles la vie leur paraît indigne, - mais des conflits d'intérêts sordides quand ce n'était pas de simple vanité dynastique, menés par des armées en grande partie mercenaires et auxquels les peuples n'étaient guère intéressés que pour souffrir. Pendant la décade qui précède *Candide* les alliances changent complètement : en 1748 la France combattait avec la Prusse contre l'Autriche; en 1756 elle combat avec l'Autriche contre la Prusse. La Suède, l'Allemagne, la Bohême sont à feu et à sang; partout et partout des combats, sur mer, aux Indes, aux Amériques.

Voltaire, qui a des correspondants presque dans chaque pays, n'ignore rien de ces horreurs. La duchesse de Saxe-Gotha lui écrit le 7 juin 1757 : « Les ruisseaux de sang humain qui inondent les champs de bataille et les gémissements de tant d'expirants me font horreur. La ville de Prague... se rendra à coup sûr, si elle n'est pas consumée par les flammes. »

... Mais la duchesse de Saxe-Gotha ne demeure pas moins fervente leibnitzienne. Voltaire en est stupéfait. Toutes ses lettres de cette époque retentissent au contraire de sa double indignation, contre les massacres, et contre la « philosophie » qui prétend les expliquer, les faire accepter :

« On ne peut pas dire encore : tout est bien; mais cela ne va pas mal, et avec le temps l'optimisme sera démontré. »

« Tout est bien, tout est mieux que jamais, voilà deux ou trois cent mille animaux à deux pieds qui vont s'égorger pour cinq sous par jour [1]. »

La rage de Voltaire contre « cette boucherie héroïque » (p. 142) est à la source même de *Candide*. Les hommes osent faire de la littérature [2] et de la musique avec les cadavres qu'ils accumulent; ils chantent avant et après les combats, à la gloire des tueurs (p. 142).

Les tentatives de médiation de Voltaire entre la France et la Prusse viennent d'échouer. Que faire d'autre que de souligner la dérision et l'horreur pour préparer, du moins à très long terme, le refus des courageux :

... « Les deux rois faisaient chanter des Te Deum, chacun dans son camp. » Voltaire après Bayle, qui citait en particulier l'exemple de la bataille de Senef, dénoncera à plusieurs reprises cette absurdité plus scandaleuse encore que toutes les autres, dont un homme comme Bossuet ne semblait même pas prendre conscience : « Le merveilleux de cette entreprise infernale, c'est que chaque chef des meurtriers fait bénir ses drapeaux et invoque Dieu solennellement avant d'aller exterminer son prochain. Si un chef n'a eu que le bonheur de faire égorger deux ou trois mille hommes, il n'en remercie point Dieu; mais lorsqu'il y en a eu environ dix mille d'exterminés par le feu et par le fer, et que, pour comble de grâce, quelque ville a été détruite de fond en comble, alors on chante à quatre parties une chanson assez longue, composée dans une langue inconnue à tous ceux qui ont combattu, et de plus toute farcie de barbarismes [3]. »

Dans *Candide*, comme toujours, le texte est plus bref, plus réaliste. Énoncer le scandale est suffisant. La mention des *Te Deum* tient en une ligne. Voltaire se contente de dépeindre ce qui est, sans craindre les « clichés » ni les accusations de « mauvais goût » :

« Enfin, tandis que les deux rois faisaient chanter des Te Deum chacun dans son camp, il prit le parti d'aller

1. Lettres de 1756, 1757, 1758, *passim*.
2. Voltaire lui-même en a fait, et de la plus mauvaise, avec son poème de la bataille de Fontenoy. Ici encore, *Candide* est écrit avec ses souvenirs.
3. *Dictionnaire philosophique*, article *Guerre*.

raisonner ailleurs des effets et des causes. Il passa par-dessus des tas de morts et de mourants, et gagna d'abord un village voisin ; il était en cendres : c'était un village abare que les Bulgares avaient brûlé, selon les lois du droit public. Ici des vieillards criblés de coups regardaient mourir leurs femmes égorgées, qui tenaient leurs enfants à leurs mamelles sanglantes ; là des filles éventrées après avoir assouvi les besoins naturels de quelques héros ren-daient les derniers soupirs ; d'autres, à demi brûlées, criaient qu'on achevât de leur donner la mort. Des cer-velles étaient répandues sur la terre à côté de bras et de jambes coupés » (p. 142-143).

Il est difficile d'imaginer un texte plus sarcastique et qui pourtant respire et inspire davantage la pitié, la colère. Seul Victor Hugo dans notre littérature, usant de moyens très différents, dénoncera la guerre avec une telle force, tout en sachant prôner la résistance à toute oppression : « Déshonorons la guerre. Non, la gloire sanglante n'existe pas. Non, ce n'est pas bon et ce n'est pas utile de faire des cadavres, ... d'aboutir à cette épouvantable exposition inter-nationale qu'on appelle un champ de bataille [1]. » (Ces mots ont été prononcés par lui aux cérémonies pour le centenaire de la mort de Voltaire en 1878).

L'ESCLAVAGE

Voltaire, bien qu'il essaie de le faire encore, ne parvient plus du tout à rire, même en grinçant, encore moins à sourire ou à nous faire sourire, lorsqu'il nous oblige de regarder en face le bras et la jambe coupés du nègre de Surinam, mutilé en toute connaissance de cause par les lois de l'esclavage :

« Est-ce M. Vanderdendur, dit Candide, qui t'a traité ainsi ? - Oui, Monsieur, dit le nègre, c'est l'usage. On nous donne un caleçon de toile pour tout vêtement deux fois l'année. Quand nous travaillons aux sucreries, et que la meule nous attrape le doigt, on nous coupe la main ; quand nous voulons nous enfuir, on nous coupe la jambe : je me suis trouvé dans les deux cas. C'est à ce prix que vous

1. Voir notre édition des *Châtiments* et de *l'Année terrible*, particulièrement p. 193, 205, 206, 207 (Bordas).

mangez du sucre en Europe... Les fétiches hollandais qui m'ont converti me disent tous les dimanches que nous sommes tous enfants d'Adam, blancs et noirs. Je ne suis pas généalogiste; mais, si ces prêcheurs disent vrai, nous sommes tous cousins issus de germain. Or vous m'avouerez qu'on ne peut pas en user avec ses parents d'une manière plus horrible » (p. 189-190).

La plaisanterie des « cousins issus de germain » avorte; le mot « généalogiste » dans la bouche du nègre est invraisemblable. Voltaire ici, à mon avis, perd la maîtrise de son humour, mais il nous fait partager avec force, et surtout peut-être si nous sommes nous-mêmes croyants, la révolte qu'il éprouve devant ce qu'il dénonce, l'opposition complète entre l'enseignement du Christ : « Tous les hommes sont frères parce que tous également fils de Dieu » et le comportement de trop nombreux chrétiens.

Or c'est cela qui lui importe. Ce que Voltaire veut absolument démythifier, en quelque domaine que ce soit, c'est le conformisme et le pharisaïsme moral. Voltaire est le contraire d'un anarchiste, il sait le progrès que les lois, les codes, le droit, l'usage ont apporté aux hommes, mais il refuse absolument qu'on leur attribue un caractère sacré, intangible, qui que ce soit qui les ait institués. La coutume est pire encore que la nature, parce qu'elle parvient très souvent à faire accepter ce qui n'est pas naturel, ce qui révolterait si l'on avait l'esprit libre, *candide*. Combien d'enfants s'étonnent et même se révoltent lorsque des parents ou des éducateurs peu perspicaces leur répètent à tout bout de champ : « Ça se fait, ça ne se fait pas [1]. » Ils veulent savoir, eux, pourquoi cela *doit* se faire ou ne pas se faire. Ces enfants ont raison, et Voltaire joue admirablement de cette réaction du bon sens et de la *candeur*. Il multiplie les dénonciations à froid, sans insister, dans le cours même de chaque récit horrible :

« Un village abare que les Bulgares avaient brûlé, selon les lois du droit public » (p. 142).

« Des scènes pareilles se passaient, comme on sait, dans l'étendue de plus de trois cents lieues, sans qu'on manquât aux cinq prières par jour ordonnées par Mahomet » (p. 163).

1. Voir plus loin, p. 48.

Voltaire consacre même à cette dénonciation le discours tout entier de Cacambo aux Oreillons (p. 178), - et ici il peut rire, Candide et Cacambo ne sont pas entre les mains de « civilisés », mais seulement d'anthropophages.

Les Oreillons trouvent ce discours très raisonnable. Mais comment convaincre les Grotius, les Hobbes, les Pufendorf qui règlementent doctement l'esclavage, toutes les honnêtes personnes qui ont établi en 1685 le « Code noir » pour mieux protéger les nègres -, comme « biens meubles »! Article XXXVIII : « L'esclave qui sera en fuite pendant un mois, à partir du jour que son maître l'aura dénoncé en justice, aura les oreilles coupées...; s'il récidive, il aura le jarret coupé. » (Une déclaration du 1er février 1743 inflige la même peine pour une tentative d'évasion [1]).

L'épisode du nègre Surinam ne figure pas dans le manuscrit le plus ancien que nous ayons, celui du duc de La Vallière. Mais c'est par lui, dans le texte publié, que le roman vire de bord. Candide, désormais, appelle les choses par le nom qu'elles méritent. L'esclavage est une « abomination », dit-il, et l'optimisme une véritable maladie de maniaque, contagieuse, nuisible, « la rage de soutenir que tout est bien quand on est mal » (p. 190)... Pour le héros du conte tout au moins, une possibilité de guérison apparaît donc, lointaine, s'il continue dans la voie lucide du réalisme. Cependant il lui reste beaucoup à comprendre; il n'a pas pris conscience encore des misères intérieures de l'homme. Le roman d'apprentissage se poursuit.

---

1. Pour ce qui est des mains, le cas est plus complexe et le texte ci-dessous du Père Labat permet de comprendre nettement l'un des procédés de Voltaire : « *Souvent les esclaves se trouvent pris au moulin avant qu'on puisse les secourir, surtout quand c'est un moulin à eau dont le mouvement est si rapide qu'il est physiquement impossible d'arrêter assez tôt pour sauver la vie à ceux dont les doigts se trouvent pris. En pareilles occasions le plus court remède est de couper promptement le bras d'un coup de serpe, et, pour cela, on doit toujours tenir sur le bout de la table une serpe sans bec bien affilée pour s'en servir au besoin.* » Ce n'est donc pas pour punir le nègre qu'on lui coupe la main, mais comme « le plus court remède pour sauver la vie ». Le nègre de M. Vanderdendur d'ailleurs ne dit pas le contraire, il constate la pratique, les conditions de travail qui sont les siennes et celles de tous ses camarades... Le Père Labat rapporte également ceci, qui a inspiré à Voltaire sa notation sur l'habillement des esclaves : « Les habits des nègres ne consistent qu'en un caleçon et une casaque de grosse toile de Bretagne. Il y a des maîtres raisonnables qui donnent à chaque nègre deux habits par an, d'autres moins raisonnables... » (Tous ces renseignements sont donnés par André Morize d'après le *Nouveau voyage aux Isles de l'Amérique* du Père Labat, 1742, 8 vol., en particulier III, 407, et IV, 202.)

LA VANITÉ, LA PASSION,
L'AMBITION, L'ENNUI

Candide a quitté l'Eldorado pour retrouver Cunégonde, mais aussi par vanité sociale. « Si nous restons ici, nous n'y serons que comme les autres ; au lieu que si nous retournons dans notre monde seulement avec douze moutons chargés de cailloux d'Eldorado, nous serons plus riches que tous les rois ensemble », dit-il (p. 186). Cacambo n'est pas plus sage, ce discours *lui plaît*. Lui aussi, il brûle de briller, *de se faire valoir* et de *faire parade* chez les siens... Encore les deux hommes sont-ils bien loin d'être les plus fols de nos semblables. Candide a des faiblesses, des curiosités surtout, mais pas de vices, pas de ces passions déchaînées qui font sombrer le vaisseau du bonheur au lieu de simplement en enfler les voiles. Voltaire dénonce tout particulièrement, dans la deuxième partie du conte, *le chauvinisme* qui même chez le peuple le plus libéral peut conduire à l'assassinat (exécution de l'amiral Byng, p. 208), et *le jeu*, dont la triste monotonie est si bien décrite dans le salon de Mme Parolignac :

> « Un profond silence régnait, la pâleur était sur le front des pontes, l'inquiétude sur celui du banquier ; et la dame du logis, assise auprès de ce banquier impitoyable, remarquait avec des yeux de lynx tous les parolis, tous les sept-et-le-va de campagne dont chaque joueur cornait ses cartes... Sa fille, âgée de quinze ans, était au nombre des pontes, et avertissait d'un clin d'œil des friponneries de ces pauvres gens qui tâchaient de réparer les cruautés du sort » (p. 201).

Mais deux maladies morales paraissent à Voltaire bien pires encore, quoique ne figurant pas non plus au nombre des péchés capitaux. Très différentes, elles apparaissent même d'abord opposées bien que la cause en soit la même : ce sont *l'ennui* et *l'ambition, l'ennui* d'abord. Pour l'auteur de *Candide* comme pour celui des *Fleurs du mal* [1] :

> « Notre ennemi le plus grand, c'est l'ennui [2]. »

1. *Au lecteur*, vers 29-40.
2. *Œuvres*, éd. Moland, X, 347.

Voltaire ne condamne pas le divertissement par système comme Pascal, mais il sait et il montre combien peut être vide, sinistre l'existence des mondains, des oisifs, des faibles, de tous ceux qui n'ont pas le courage d'être vraiment eux-mêmes, insectes sans lumière intérieure qui se précipitent au-devant de n'importe quelle lampe allumée pour tenter de jouir -, pour brûler, pour périr.

Même le seigneur Pococuranté, fin, intelligent, disert, ayant usé tous les plaisirs, est devenu incapable de trouver quelque piment nouveau à l'existence. L'homme est-il donc né, comme le prétend Martin, « pour vivre dans les convulsions de l'inquiétude, ou dans la léthargie de l'ennui » (p. 231)?... Un personnage a souffert plus que tous les autres dans *Candide*. On ne l'appelle plus, - sans délicatesse, car elle doit en souffrir, - que « la vieille ». Elle se souvient de toutes les misères, de toutes les humiliations qu'elles a subies, elle les porte dans sa chair et dans son âme. Elle en rit chaque fois qu'elle peut, comme elle peut, rappelant toujours la fesse qui lui manque, mais Voltaire lui fait prononcer aussi, à plusieurs reprises, les phrases les plus tristes du roman : « J'ai vieilli dans la misère et dans l'opprobre »... « Je voulus cent fois me tuer » (p. 166 et 167). C'est elle pourtant, à la fin du conte, alors que Candide et ses compagnons paraissent enfin à l'abri de tous les malheurs, en sécurité dans leur petite ferme de Propontide, c'est elle qui « ose » leur dire un jour, tellement l'ennui est excessif :

« Je voudrais savoir lequel est le pire, ou d'être violée cent fois par des pirates nègres, d'avoir une fesse coupée, de passer par les baguettes chez les Bulgares, d'être fouetté et pendu dans un auto-da-fé, d'être disséqué, de ramer en galère, d'éprouver enfin toutes les misères par lesquelles nous avons tous passé, ou bien de rester ici à ne rien faire? - C'est une grande question, dit Candide » (p. 231).

L'ambition est incontestablement préférable, elle porte toujours en elle une certaine grandeur. Elle peut même être utile. Mais Voltaire, en 1758, sait ce qu'elle lui a fait faire, à quelles compromissions il s'est plié pour approcher les rois et les grands, lui qui aurait dû tellement les craindre, quelles avanies il a essuyées, à Paris, à Berlin, à Francfort, à Versailles... On peut trouver que Voltaire est injuste lorsqu'il fait dire au bon vieillard turc qui prend le frais sous son berceau d'orangers : « Je présume qu'en général ceux qui se mêlent des affaires publiques périssent quelquefois misérablement, et qu'ils le méritent » (p. 233). La présence et la place curieuses, dans la phrase, de « en général » et de « quelquefois » prouvent d'ailleurs que Voltaire a hésité. Sa condamnation, trop sommaire, ne distingue pas les politiciens des hommes politiques intègres, soucieux réellement du bien de tous, dont il nous a montré un modèle en la personne de Vauban par exemple, courageux, compétent, humain, n'ayant cessé de prouver par sa conduite, dit-il, qu'il peut y avoir, sous un gouvernement *absolu*, des *citoyens* [1].

Il est probable que l'ex-chambellan de Frédéric, ici, pense avant tout à lui-même, à ses ambitions intéressées d'autrefois, et qu'il se fortifie dans la volonté de vivre désormais loin des cours, dans le travail qui « éloigne de nous trois grands maux : l'ennui (toujours premier nommé), le vice et le besoin » (p. 233). Voltaire, qui par tempérament n'est pas du tout, comme on le croit, un destructeur, qui ne s'est jamais contenté de dire non, commence à élaborer pour nous et pour lui, à quarante lignes de la fin du conte, une morale précise. C'est elle qu'il nous faut maintenant examiner.

L'AMOUR DE LA VIE

« La question du bien et du mal, répétera Voltaire dans l'article *Tout est bien* du *Dictionnaire philosophique*, demeure un chaos indébrouillable pour ceux qui cherchent de bonne foi; c'est un jeu d'esprit pour ceux qui disputent : ils sont des forçats qui jouent avec leurs chaînes. Pour le peuple non pensant, il ressemble assez à des poissons qu'on a transportés d'une rivière dans un réservoir; ils ne se doutent pas qu'ils sont là pour être mangés pendant le carême : aussi ne savons-nous rien du tout par nous-mêmes des causes de notre destinée ».

Le peuple pensant, lui (c'est-à-dire tous ceux qui réfléchissent, Cacambo et la vieille tout autant que Voltaire et

1. *Le siècle de Louis XIV*, éd. Garnier-Flammarion, II, 288.

Pococuranté), sait que chaque homme est destiné à mourir. Mais cela ne désespère, au fond, personne. La vieille a voulu cent fois se tuer et ne comprend pas pourquoi elle ne l'a pas fait, elle trouve « cette faiblesse ridicule », mais elle *aimait encore la vie* en dépit de tout, dit-elle (p. 167), elle l'aime toujours en fait, et elle constate que les plus misérables éprouvent sans doute ce même sentiment, puisque très peu se suicident :

> « J'ai vu dans les pays que le sort m'a fait parcourir et dans les cabarets où j'ai servi, un nombre prodigieux de personnes qui avaient leur existence en exécration; mais je n'en ai vu que douze qui aient mis volontairement fin à leur misère : trois nègres, quatre Anglais, quatre Genevois et un professeur allemand nommé Robeck [1] » (p. 167).

Voltaire constate, de même, que le nombre des suicides « par raison » est extrêmement faible, la plupart des gens qui se tuent pouvant être considérés comme des malades. Dès lors, et le cas de douleurs insupportables et incurables étant très précisément mis à part [2], puisque nous tenons à la vie essayons de la vivre le mieux possible, - et naturellement sans métaphysique : « Quel est l'homme sage qui sera prêt à se pendre parce qu'il ne sait pas comment on voit Dieu face à face, et que sa raison ne peut débrouiller le mystère de la Trinité », la nature de l'esprit, le caractère réel ou illusoire de notre liberté dans l'enchaînement des causes et des hasards, le problème du mal, la mort ?... « Il faudrait autant se désespérer de n'avoir pas quatre pieds et deux ailes [3]. » Acceptons-nous nous-mêmes d'abord, humains et terriens que nous sommes; ne perdons pas la tête dans le sable des choses célestes, cultivons notre jardin.

1. Johan Robeck, un jésuite qui avait rédigé une véritable apologie du suicide, ... et s'était suicidé pour de bon en 1736.
2. « Philosophiquement parlant, quel mal fait à la société un homme qui la quitte quand il ne peut plus la servir? Un vieillard a la pierre et souffre des douleurs insupportables; on lui dit : « Si vous ne vous faites tailler, vous allez mourir; si l'on vous taille, vous pourrez encore radoter, baver et traîner pendant un an, à charge à vous-même et aux autres. » Je suppose que le bonhomme prenne alors le parti de n'être plus à charge à personne : voilà à peu près le cas que Montaigne expose ». (Réponse de Voltaire à Pascal qui trouvait " les sentiments de Montaigne sur l'homicide volontaire et sur la mort horribles ". *Remarques sur les Pensées de M. Pascal*, *Lettres philosophiques*, Garnier, p. 163.)
3. *Idem*, p. 148.

IL FAUT TRAVAILLER ET NON PÉRORER

Cultivons notre jardin, aucune formule peut-être n'a suscité autant d'exégèses, - ce qui est vraiment un comble, car s'il est une leçon qui se dégage à l'évidence du chapitre final de *Candide* quand on le lit sans prévention, c'est bien celle-ci : Il ne faut pas pérorer, il faut agir.

... Du chapitre final et de tout le conte. Même lorsqu'il s'agit de lui, Pangloss disserte. Affreusement malade à Amsterdam, « tout couvert de pustules, les yeux morts, le bout du nez rongé, la bouche de travers, les dents noires, et parlant de la gorge, tourmenté d'une toux violente, et crachant une dent à chaque effort », il fait un historique complet de la propagation de la vérole : « C'était une chose indispensable dans le meilleur des mondes, un ingrédient nécessaire : car, si Colomb n'avait pas attrapé dans une île de l'Amérique cette maladie qui empoisonne la source de la génération, qui souvent même empêche la génération, et qui est évidemment l'opposé du grand but de la nature, nous n'aurions ni le chocolat ni la cochenille; il faut encore observer que jusqu'aujourd'hui, dans notre continent, cette maladie nous est particulière, comme la controverse...; on peut assurer que, quand trente mille hommes combattent en bataille rangée contre des troupes égales en nombre, il y a environ vingt mille vérolés de chaque côté. - Voilà qui est admirable, dit Candide. MAIS IL FAUT VOUS FAIRE GUÉRIR » (p. 146), et Candide s'entremet aussitôt auprès du bon anabaptiste pour lui faire donner les soins nécessaires... Pangloss a-t-il compris ? - Non. Lorsque Candide à son tour « se meurt » à Lisbonne et demande à son maître « un peu de vin et d'huile », Pangloss disserte tout autant :

> « Ce tremblement de terre n'est pas une chose nouvelle, répondit Pangloss; la ville de Lima éprouva les mêmes secousses en Amérique l'année passée; mêmes causes, mêmes effets : il y a certainement une traînée de soufre sous terre depuis Lima jusqu'à Lisbonne. - RIEN N'EST PLUS PROBABLE, dit Candide; MAIS, POUR DIEU, UN PEU D'HUILE ET DE VIN » (p. 149).

Nous retrouvons le même mouvement exactement, le même « MAIS » de Candide, la même invitation à l'action dans les deux derniers paragraphes du conte. Pangloss disserte sur « les grandeurs, qui sont fort dangereuses », sur la prescription de Dieu à l'homme lorsque celui-ci « fut mis dans le jardin d'Éden... *ut operaretur eum*, pour qu'il travaillât », et il entame à nouveau, bien entendu, sa grande tirade sur l'enchaînement des causes :

> « Car enfin, si vous n'aviez pas été chassé d'un beau château à grands coups de pied dans le derrière pour l'amour de Mlle Cunégonde, si vous n'aviez pas été mis à l'Inquisition, si vous n'aviez pas couru l'Amérique à pied, si vous n'aviez pas donné un bon coup d'épée au baron, si vous n'aviez pas perdu tous vos moutons du bon pays d'Eldorado, vous ne mangeriez pas ici des cédrats confits et des pistaches. - CELA EST BIEN DIT, répondit Candide, MAIS IL FAUT CULTIVER NOTRE JARDIN » (p. 234).

Zadig, autrefois, répondait également par des MAIS... aux explications peu convaincantes de l'ange Jesrad (p. 86); cependant, malgré son intelligence bien supérieure à celle de Candide, il n'osait pas aller plus loin que les points de suspension, s'opposer de façon résolue aux logorrhées théologiques. Voltaire et Candide, maintenant, n'hésitent plus. Voici la lettre extrêmement brève que Voltaire fait parvenir à Rousseau en réponse à celle extrêmement longue que lui avait adressée sur l'optimisme l'auteur de cette phrase bien digne de Pangloss : « Commençons par écarter tous les faits, car ils ne touchent pas à la question [1] » :

> « ... VOTRE LETTRE EST TRÈS BELLE, MAIS j'ai chez moi une de mes nièces qui, depuis trois semaines, est dans un assez grand danger, je suis garde-malade et assez malade moi-même. J'attendrai que je me porte mieux et que ma nièce soit guérie pour penser avec vous [2]. »

Rousseau, on le voit, n'avait certainement pas tort de croire que *Candide* le visait directement : « Je voulais philosopher avec lui, avouera-t-il ingénûment; en réponse il m'a persiflé [3]... » Simplement, avec Rousseau, Voltaire en persiflait bien d'autres : tous les *discoureurs* a priori, tous les faiseurs de dogmes et de *systèmes*.

---

1. Cette phrase du *Discours sur l'inégalité* (collect. *Idées*, p. 45) est un peu moins ridicule replacée dans son contexte, mais elle demeure le symbole typique des discussions *a priori* que Voltaire ne pouvait plus souffrir.
2. Lettre du 2 septembre 1756.
3. Lettre au duc de Wurtemberg, 11 mars 1764.

UNE FORMULE TOUTE SIMPLE

On objecte alors : Voltaire renonce à l'intelligence, il prêche l'égoïsme. C'est une sottise. La phrase : « Travaillons sans raisonner, c'est le seul moyen de rendre la vie supportable » (p. 234) n'est pas de Candide, elle est de Martin, dont Voltaire nous a montré à plusieurs reprises qu'il était fort capable, par *système* lui aussi, de se tromper [1]. Voltaire nous indique très nettement, au contraire, que Candide, revenant sur ses diverses expériences, en particulier celle des six rois rencontrés à Venise, fait « de profondes réflexions » (p. 233) sur « le sort bien préférable » que ses compagnons et lui pourraient se donner à eux-mêmes s'ils comprenaient et appliquaient, à leur façon, les conseils et l'exemple du bon vieillard turc. Jusque-là Cacambo *travaille*, seul, au jardin de Candide, il va, également seul, vendre les légumes du jardin à Constantinople ; il est *excédé de travail*, et il *maudit sa destinée* (p. 231). Les autres, qui exploitent son labeur, s'ennuient à périr et maudissent leur destinée de la même façon. Cunégonde et la vieille sont insupportables ; Candide, hélas, n'a plus d'amour.

Candide *affirme* alors, nettement, ce qu'il vient de découvrir. Pour la première fois dans le conte, il dit *Je sais* ; simplement, comme il est toujours courtois, il ajoute *aussi*, pour ne pas vexer son interlocuteur. « Je sais aussi qu'il faut cultiver NOTRE jardin [2] »... La suite est extrêmement claire. « TOUTE la petite société entra dans ce louable dessein ; CHACUN se mit à exercer ses talents » (p. 234). Cette fois donc, *tous* travaillent, même le Frère Giroflée, même Martin, même Pangloss, qui apparemment ne disserte plus qu'après le travail, « quelquefois » nous est-il dit (p. 234). La petite terre rapporte beaucoup. Cunégonde, Paquette, et encore une fois Frère Giroflée lui-même acquièrent des qualités nouvelles (Frère Giroflée devient « honnête homme »). Insensiblement tout va mieux pour tous.

Si Voltaire théorisait, quels beaux principes il pourrait déduire ici, sur cette fin de l'exploitation de l'homme par l'homme : « de chacun selon ses capacités, à chacun selon ses besoins » par exemple, c'est-à-dire le principe même du

1. Voir plus loin, p. 59.
2. On cite parfois la phrase sous la forme : Il faut cultiver *son* jardin, mais aucun manuscrit ne porte ce texte. Le sens est faussé.

communisme réalisé. Il rappellerait ou il prophétiserait la communauté primitive des bons sauvages, le *mir*, le kolkhoze, le kibboutz, le progrès des mœurs par le travail et par l'abondance. Il ajouterait, au moins, à « cultiver notre jardin » les mots « ensemble », « en commun », « pour le bien de chacun et de tous ». Il ne le fait pas, car il ne parle ici que pour les huit personnages d'un conte et il a horreur des généralisations hâtives, populaires ou bourgeoises. Notre brave Candide ne manifeste aucun goût, on l'avouera, pour ce paternalisme onctueux que pratiquera bientôt avec tant de bonne conscience le seigneurial M. de Wolmar (Voltaire jugera *La nouvelle Héloïse* « sot, *bourgeois*, impudent, ennuyeux »). Candide a même découvert l'ironie [1], il félicite Pangloss pour sa belle tirade inutile et se contente de répéter doucement : « Il faut cultiver notre jardin. » A nous d'élargir la formule comme nous voulons, - sans pérorer, - et toujours en faisant nous-mêmes « la moitié du travail », bien entendu, ainsi qu'il nous a été demandé [2].

LE SYMBOLE

La phrase, en effet, se prête admirablement au symbole, bien plus encore que le *Trinch* de Rabelais. N'évoquons pas, comme Pangloss et certains critiques, le paradis perdu de nos premiers parents ou celui de Thunder-ten-tronckh, ni surtout les grands parcs immenses de l'Eldorado. Laissons-nous seulement porter par l'image. *Le jardin*, c'est à la fois l'utile et l'agréable, les produits indispensables de la terre pour soi et pour les autres (on en porte de plus en plus au marché de Constantinople), mais aussi les fleurs [3], le superflu, la beauté ! Le jardin surtout, c'est le *travail* et c'est le *repos*, - le refuge contre toutes les atrocités du monde, la tentation repoussée des ambitions, des honneurs, des gloires scintillantes, mais aussi et en même temps le lieu des *créations* véritables, celui où la vie continue toujours, où l'on sème et

1. Dans les premiers chapitres, le « Voilà qui est admirable » de la p. 146 et le « Rien n'est plus probable » de la p. 149 n'étaient pas ironiques de la part de Candide, le contexte le montre. L'ironie était du seul Voltaire. Au contraire, à l'avant-dernière ligne du conte, Candide se permet de sourire en connaissance de cause de ce qui est *bien dit*, seulement *bien dit*. Il oppose l'action de tous les jours à la fausse éloquence des systèmes.
2. Voir plus haut, p. 15.
3. « Des orangers et des oignons, des tulipes et des carottes » (*Œuvres*, éd. Moland, XXXVIII, 356).

où l'on plante pour les saisons prochaines, pour l'avenir, - où l'on *cultive* tout ce que l'on est.

Rêves contradictoires ? - Non. Pas en pratique. Voltaire ne sera jamais plus *actif*, plus *efficace*, que dans la *solitude féconde* de Ferney... Depuis trente ans, il en rêve ; dès 1728 il annonce son intention d'aller à Constantinople, « afin de croire à l'Évangile, dit-il, chose impossible quand on vit parmi ceux qui enseignent le christianisme ». L'Eldorado n'existe pas mais la Pennsylvanie, elle, existe et il la célèbre dans l'*Essai sur les mœurs* comme dans le *Dictionnaire philosophique*, se référant de nouveau à l'Évangile.

Voltaire va jusqu'à dire : « Oui, si la mer ne me faisait un mal insupportable, ce serait dans ton sein, ô Pennsylvanie, que j'irais finir le reste de ma carrière (s'il y a du reste [1]). »

Mais Voltaire ne veut pas s'exiler ; il n'en a pas le courage, et il sait que ce serait une folie, une désertion ! Où peut-il agir vraiment, sinon en France ou à proximité immédiate de la France, - et d'abord sur l'opinion française. Le travail de son jardin, c'est de féconder toute la région de Ferney sans doute, d'élever le niveau de vie de ces paysans misérables qui ont fait sur lui une telle impression lorsqu'il les a vus pour la première fois [2], mais c'est avant tout son action et ses ouvrages de philosophe, d'artiste, ses campagnes de militant.

Sur ce point il est pleinement logique avec lui-même. « L'homme est né pour l'action, comme le feu tend en haut et la pierre en bas », dit-il. Comme Victor Hugo, à qui il ressemble par tant de points en dépit des apparences, Voltaire

---

1. *Œuvres*, éd. Moland, XX, 312.
2. Au point que René Pomeau voit en eux, à juste titre selon nous, les frères, pour le philosophe, de son nègre de Surinam. Le 18 novembre 1758, au moment sans doute où il achève *Candide* et ajoute, après avoir lu Helvétius, l'épisode de l'esclavage, Voltaire visite le village de Ferney « et il en revient bouleversé. Depuis sept années le curé de la paroisse n'a fait aucun mariage. Il ne naît plus d'enfants, les terres restent en friche, les habitants ne mangent qu'un peu de pain noir, que leur disputent les gabelous : « *La moitié périt de misère, et l'autre pourrit dans des cachots.* » On a transformé ces malheureux en « *bêtes inutiles* » ; il faut en faire des « *hommes utiles* ». C'est pourquoi le propriétaire des Délices achètera cette terre désolée car, dit-il, « le cœur est déchiré quand on est témoin de tant de malheurs ». Tel est Voltaire. Tel est Candide... « *Je n'achète la terre de Ferney*, dira-t-il encore, *que pour y faire un peu de bien* [le ne... que est exagéré]. *J'ai déjà la hardiesse d'y faire travailler quoique je n'aie pas passé le contrat. Ma compassion l'a emporté sur les formes* » (René Pomeau, éd. critique de *Candide*, p. 73). On sait qu'effectivement Voltaire réussira à élever très nettement le niveau de vie de toute la population de Ferney, qui fera plus que doubler entre 1760 et 1778. Il n'améliorera pas seulement les cultures, il installera de petites industries : fabriques de tuiles, de bas de soie, de montres.

a toujours célébré le travail, – le travail intelligent et libre qui peut faire la dignité de l'homme aussi sûrement que le travail à la chaîne de nombreuses entreprises d'aujourd'hui peut le rendre esclave. « Le travail est une jouissance, répète Voltaire... le travail est l'honneur et le lot d'un mortel, je m'aperçois tous les jours qu'il est la vie de l'homme, il ramasse les forces de l'âme et rend heureux ».

Voilà ce que Voltaire et le vieillard turc onf fait découvrir à Candide. Il nous faut cultiver notre jardin, même si Cunégonde est devenue laide. Lorsque Cunégonde se sentira utile, elle sera moins acariâtre, elle redeviendra gaie, *aimable*, et si elle est aimable, elle sera peut-être de nouveau aimée, elle retrouvera une certaine grâce [1]... Pour sa part en tout cas, Voltaire est bien décidé à persévérer jusqu'à sa mort dans la voie qu'il sait être la bonne : « Ni ma vieillesse ni mes maladies ne me découragent, dit-il encore. Quand je n'aurai défriché qu'un champ et quand je n'aurai fait réussir que vingt arbres, c'est toujours un bien qui ne sera pas perdu. » Surtout, et ici encore comme Victor Hugo, Voltaire ne passe plus un jour, servi par une imagination infatigable, sans écrire ou sans dicter longuement, – sans agir. « Moi, j'écris pour agir », dit-il au pasteur Vernes. L'année qui suit *Candide* il lance sa grande campagne « contre l'Infâme », c'est-à-dire contre la superstition et le fanatisme.

Alors que les plus convaincus de ses amis lui conseillent de se taire, inquiets, désespérant d'obtenir quelque chose, lui, continue avec acharnement, et avec adresse, sa lutte contre les crimes judiciaires, contre la torture, contre le servage. Il presse tous les siens : « Criez, et qu'on crie. » Il poursuit l'action de *Candide*, c'est-à-dire la dénonciation violente de tous les maux humains qu'on ose justifier par les institutions, par la loi, par l'*usage ou le non-usage* : il exige que les juges exposent publiquement sur quelles preuves ils se fondent avant d'envoyer à la mort : « Y a-t-il une plus exécrable

---

1. On ne peut rien en déduire à coup sûr, mais tout de même il est significatif que Voltaire ait lancé un jour à Mme Denis, sa compagne de Ferney, un quatrain comme celui-ci :
    « Si par hasard, pour argent et pour or,
    A vos boutons vous trouviez un remède,
    Peut-être vous seriez moins laide,
    Mais vous seriez bien laide encor »
... et que, sauf pendant deux ans, il ait néanmoins continué de vivre avec elle, dans les travaux et créations de toutes sortes, et en somme assez heureux.

tyrannie que celle de verser le sang à son gré, sans en rendre la moindre raison ? *Ce n'est pas l'usage*, disent les juges. Eh ! monstres ! *il faut que cela devienne l'usage* : vous devez compte aux hommes du sang des hommes [1]. »

Voltaire trouve son bonheur dans cette lutte, dit-on. Doucement à l'abri dans ses Délices, ou à Ferney, il conquiert une gloire plus grande qu'elle n'a jamais été... Voilà bien le genre d'objection, par exemple, qui ne l'a jamais arrêté une seconde. Contre La Rochefoucauld et encore une fois contre les jansénistes, il considère normal que le plaisir s'ajoute à l'acte bon, - « comme à la jeunesse sa fleur » disait un autre philosophe-poète, Aristote.

« Nous naissons injustes ; car chacun tend à soi, affirme l'auteur des *Pensées*. Cela est contre tout ordre. - Non, dit Voltaire, cela est selon tout ordre. Il est aussi impossible qu'une société puisse se former et subsister sans amour-propre, qu'il serait impossible de faire des enfants sans concupiscence, de songer à se nourrir sans appétit, etc. C'est l'amour de nous-mêmes qui assiste l'amour des autres ; c'est par nos besoins mutuels que nous sommes utiles au genre humain ; c'est le fondement de tout commerce : c'est l'éternel lien des hommes [2]. »

LES FRUITS DU JARDIN

Voici en tout cas, nés de l'amour de soi et des autres, les fruits du jardin de Voltaire [3] :

1762-1765. Défense, après enquête sérieuse, de la famille protestante Calas dont le père, accusé d'avoir tué son fils, a été exécuté à Toulouse. (Le pasteur Rochette et trois autres huguenots y ont été condamnés à mort, quelques semaines avant, pour seul crime d'hérésie.) La réhabilitation de Calas sera obtenue le 9 mars 1765.

1763. *Traité sur la tolérance.*

1764. (Voltaire a 70 ans)
Intervention en faveur des huguenots condamnés aux galères.
Le dictionnaire philosophique, Jeannot et Colin, Le blanc et le noir. Commentaire sur l'œuvre de Corneille (pour doter Mlle Corneille qu'il a adoptée).

1762-1771. Défense de la famille protestante Sirven dont le père et la mère, accusés d'avoir tué leur fille, sont condamnés à la pendaison. Ils se réfugient à Ferney. Voltaire n'obtiendra leur réhabilitation que le 27 novembre 1771.

1765. *La philosophie de l'histoire.* Intervention de Voltaire dans les troubles de Genève.

1. Lettre à d'Argental, 5 juillet 1762.
2. *Lettres philosophiques,* lettre sur les *Pensées* de M. Pascal, XI.
3. En dehors de ceux de Ferney.

1766. *Relation de la mort du chevalier de la Barre. Commentaires sur le livre de Beccaria* (Traité des délits et des peines).

1767. *Les questions de Zapata.* **L'ingénu,** un chef-d'œuvre. Campagne pour la famille du laboureur Martin, considéré comme coupable d'assassinat et exécuté sur la roue. Son innocence est prouvée peu après. Voltaire fait réhabiliter la famille.

1768. *La guerre civile de Genève. Précis du siècle de Louis XV. L'homme aux quarante écus. La princesse de Babylone.*

1769. *Histoire du Parlement de Paris. Les Guèbres* ou *La tolérance,* tragédie.

1770. Campagne pour les époux Montbailli. Le mari a le poing coupé et il est exécuté sur la roue. Voltaire fait reconnaître l'innocence du mari et de la femme. Celle-ci échappe à la potence.
Campagne pour l'affranchissement des serfs du Mont-Jura.

1771. *Questions sur L'encyclopédie.*

1772. *Épître à Horace, Les lois de Minos,* tragédie contre le fanatisme. *Les systèmes, Les cabales,* satires.

1774. (Voltaire a 80 ans)
Histoire de Jenni, Les filles de Minée, Le taureau blanc, contes.

1776. *La Bible enfin expliquée.*

1777. *Commentaires sur L'esprit des lois.*

Et Voltaire sait bien que le jardin continuera à produire ses fruits après la mort du jardinier.

1778. Mort de Voltaire.

1780. Suppression de la « question préparatoire » (tortures pour arracher l'aveu).

1787. Promulgation de l'Édit de tolérance.

1789. Suppression de la « question préalable » (tortures pour arracher le nom des complices).

1789. Déclaration des Droits de l'homme.

La gloire de Voltaire, lorsqu'on lit un tel palmarès, apparaît assurément comme légitime [1]. En 1778, lorsque l'auteur de *Candide,* âgé de 84 ans, revient à Paris, le peuple de la capitale l'accueille avec une telle ferveur, un tel enthousiasme (et contrastant tellement avec la froideur de la Cour), que certains historiens verront dans la « Journée » du 30 mars la première des « Journées révolutionnaires ». « Voltaire, c'est 1789 », dira aussi Victor Hugo. Il faut certainement nuancer ces affirmations. L'influence de Voltaire, en bien des domaines a dépassé ce qu'il voulait. Mais il est un témoignage de la gratitude de la foule, le 30 mars, qui exprimait à coup sûr la véritable raison de sa gloire, de la jeunesse persistante de ses meilleurs textes, de leur action sur nous tous à court et à long terme, c'est celui-ci : « Honneur au philosophe qui apprend à penser ». Je ne connais guère, pour un écrivain, de plus bel éloge.

[1]. On connaît le vers célèbre de son *Épître à Horace :*
        « J'ai fait un peu de bien, c'est mon meilleur ouvrage. »

L'art de la satire $\boxed{4}$

L'artiste, chez Voltaire, est-il digne du philosophe? Les avis
sont partagés... Certains ne manquent pas de dire que l'artiste,
en lui, l'emporte de très loin, mais c'est tout simplement
parce qu'ils n'estiment guère le philosophe; celui-ci ne leur
apprend pas à penser, disent-ils, il est superficiel. D'autres,
comme Joseph de Maistre, sont tellement hostiles aux idées
de Voltaire qu'ils ne peuvent éprouver pour la forme sous
laquelle ils les exprime, quelle qu'elle soit, que répulsion.
« Admirer Voltaire est le signe infaillible d'une âme corrompue » dit l'auteur des *Soirées de Saint-Pétersbourg*. Cependant,
même chez ceux qui estiment le reste de l'œuvre voltairienne,
dans son ensemble, de second rang, *Candide* est la plupart
du temps mis à part comme une réussite esthétique exception-
nelle... Quant aux admirateurs du patriarche - leur nombre
ne diminue pas -, ils n'hésitent pas à prononcer pour notre
roman le mot de « perfection ». « D'habitude, écrit René
Pomeau, Voltaire ne réussit pas une œuvre, mais un chapitre,
une page, un paragraphe... L'originalité de *Candide* est dans
la continuité de la perfection [1] »... « *Candide* offre l'exemple
unique d'une perfection continue », affirme presque dans les
mêmes termes P.-G. Castex [2]. Ce sont là des éloges peu
communs. Essayons de déterminer, dans la mesure où il est
possible de le faire en un domaine où le goût et la subjectivité
de chacun jouent toujours un si grand rôle, ce qu'il en est.

LES INADVERTANCES

On peut relever dans le conte un certain nombre d' « inadvertances » comme Voltaire les appelait, c'est-à-dire de ces
petites fautes de logique que presque tout auteur laisse passer
dans ses premières rédactions. C'est ainsi qu'au début du

1. « *Voltaire par lui-même* », p. 63.
2. Cours sur *Micromégas, Candide, L'ingénu*, p. 87.

chapitre II, « La neige tombe à gros flocons », alors que l'avant-veille Pangloss donnait à Paquette, en plein air, une « leçon de physique expérimentale » qui ne se pratique pas de cette façon, habituellement, pendant les frimas. Plus tard, Candide et Cacambo arrivent dans le royaume inconnu d'Eldorado très mal en point, après une navigation aveugle de vingt-quatre heures dans une rivière souterraine épouvantable ; leur canot se fracasse contre les écueils ; et ils se traînent « de rocher en rocher pendant une lieue entière ». Cependant, six lignes plus loin, on les voit « mettre pied à terre » comme s'ils étaient encore dans leur barque ou qu'on leur ait procuré des chevaux. Ceci n'a pas grande importance, le lecteur peut supposer en effet que dans ce lieu idyllique on leur est tout de suite venu en aide. Mais il a pu s'étonner davantage, quelques chapitres plus tôt (p. 148), que Voltaire lui ait dit, racontant l'entrée à Lisbonne « : A peine ont-ILS mis le pied dans la ville, en pleurant la mort de leur bienfaiteur, qu'ils sentent la terre trembler sous leurs pas... etc. » La suite du texte indique avec certitude en effet, malgré une ambiguïté possible sur le moment, que ce « ils » désigne non seulement Candide qui pleure certes son bienfaiteur, Pangloss qui peut le pleurer aussi, mais également le « barbare matelot », qui ne le pleure certainement pas étant donné ce qui nous est dit de lui immédiatement avant et après.

Ces quelques inadvertances (il y en a d'autres) peuvent résulter d'additions, de remaniements ou d'une rédaction extrêmement rapide qui n'aurait pas été suffisamment relue. De toute façon, très facilement corrigibles, elles n'ont vraiment à notre avis aucune importance, et nous ne les signalons ici que par souci d'exactitude. Elles ne relèvent pas de l'art, ni du manque d'art.

La première version du chapitre parisien

En revanche le chapitre parisien (p. 198 à 207), qui avait tout de suite été senti par l'un des premiers lecteurs du manuscrit, le duc de La Vallière, comme inférieur aux autres, l'est demeuré à notre avis malgré tous les efforts de l'auteur. Il manque de rythme, et même, peut-on dire, de violence. Voltaire a été gêné. Comparés à ce qui précède, les vices, les passions, les vanités, les faiblesses qu'il dénonce

sont trop ordinaires si l'on peut dire ; la peinture a beau en
être exacte et suggestive (sauf dans l'épisode de la fausse
Cunégonde, franchement très mal venu [1]), *nous ne sommes
plus dans l'absurde* !

La première rédaction [2] n'était pas au point assurément,
mais elle était bien davantage dans la ligne du conte : les
convulsions hurlantes et troublantes des possédés jansénistes au cimetière de Saint-Médard, qui pouvaient même
rappeler à Candide et Cacambo leur étonnement devant les
cris des deux sauvageonnes du chapitre XVI, - douleur ou
jouissance ? - le « tumulte » du peuple parisien « autour d'une
douzaine de bières couvertes d'un drap noir avec chacune un
bénitier au pied » parce qu'on a mis depuis peu un impôt
sur les morts et qu'on exige pour les enterrer des billets
de confession « payables au porteur pour l'autre monde »,
signés par des prêtres adhérant explicitement à la bulle
Unigenitus, - ces deux scènes, traitées avec la même verve,
auraient pu faire un nouveau chapitre de l'Inquisition [3].
Mais la première est trop ancienne, le cimetière de Saint-
Médard a été fermé par le cardinal Fleury en 1732 ; et la
seconde trop peu caractéristique, le Journal encyclopédique
ne signale plus, en mai 1758, qu'une affaire de refus de confession. Voltaire y renonce donc, mais il ne trouve rien de cet
ordre pour les remplacer. Ce ne sont pas les attaques contre
Fréron, Gauchat ou l'abbé Trublet, ni même les différentes
scènes chez Mme de Parolignac, qui peuvent faire ici le poids.

UNE PERFECTION CONTINUE ?

Ce chapitre mis à part, et tout de même, parfois, de loin en
loin, quelques « taches du soleil », quelques mots ou expres-
sions à côté de la cible [4], - *Candide* offre bien à notre avis,

---

1. L'attitude de Martin est même incompréhensible. Intelligent comme il est,
attaché à Candide et à son argent, il n'est guère concevable qu'il se laisse conduire
avec son maître tête baissée dans le guet-apens de la fausse Cunégonde. Voltaire dit
qu'il a perdu son sang-froid, ce qui est évidemment possible et pour bien des raisons, mais le lecteur, pour un tel personnage, désirerait des renseignements plus
nets ; il n'est pas convaincu.
2. On peut la lire dans l'édition critique établie par René Pomeau, p. 173, 174, 175.
3. Cf. l'une des scènes du beau film de Luis Buñuel, *La voie lactée*, qui présente
bien des analogies avec *Candide*.
4. ... dans des propos de l'esclave de Surinam par exemple, voir plus haut, p. 36.
Il est à noter que les quelques défauts de ce genre apparaissent dans les passages
ajoutés. Voltaire n'était plus dans le même état d'âme, sans doute, dans la même
« forme » que lorsqu'il écrivait la première version.

comme le disent René Pomeau et P.-G. Castex, « l'exemple unique d'une perfection continue ». C'est le type même du texte qu'on peut relire trente fois dans sa vie sans être jamais lassé ou déçu, en souriant et en apprenant toujours.

De quoi est faite cette perfection ? - c'est naturellement très difficile à dire. L'harmonie et le bonheur, dans l'art comme dans la nature et dans l'amour, se prêtent mal à la froide étude. Il est bon de discerner, d'analyser les éléments si on peut, de chercher à percevoir quelques secrets, mais il faut se garder de la dissection qui enlève la vie. Leibnitz trouve soudain, grâce à l'art de Voltaire, une revanche inattendue : la perfection de *Candide*, c'est le merveilleux enchaînement réciproque des causes et des effets pour le plus drôle, le plus beau, le plus vif, le plus inaltérablement jeune de tous les contes et pamphlets possibles.

LE RÉALISME DE BASE

Et d'abord comment Voltaire arrive-t-il à nous faire accepter les invraisemblances énormes de son roman ? Si curieux que cela puisse paraître, c'est certainement par le réalisme. Les événements qu'il rapporte ne sont pas seulement possibles, ils sont vrais : la terre a tremblé à Lisbonne, l'amiral Byng a été fusillé à Portsmouth, l'Inquisition a fait rôtir des gens au Portugal, les Jésuites qui confessent à Madrid le roi d'Espagne ont soutenu aux Amériques des révoltes d'Indiens contre le roi d'Espagne, les nations d'Europe se sont brûlé un nombre appréciable de villes et villages au nom du droit des gens et du droit public, les viols sont tolérés de la part de messieurs les militaires après chaque combat héroïque, la vérole importée d'Amérique fait des victimes partout, on châtre des jeunes gens en Italie pour en faire des chanteurs de la Sixtine, le jeu et la tricherie sévissent dans les salons parisiens, etc... Voltaire, pour l'essentiel, n'invente pas, et tous ses lecteurs le savent. C'est là, bien entendu, une donnée de base, essentielle pour notre créance.

·Il n'invente pas non plus pour les détails, même les plus inutiles d'apparence. Nous avons vu à quel point il suivait minutieusement, pour le chapitre de l'auto-da-fé, les témoignages qui avaient été publiés sur le sujet en France et en

Allemagne [1]. Il fait de même partout. L'énorme documentation qu'il a accumulée et décantée pour écrire son *Essai sur les mœurs* lui fournit, à chaque page, le détail caractéristique qui authentifie ou qui fait sourire, y compris pour l'Eldorado [2] !

Ne parlons pas de la monnaie des différents pays, toujours très exactement précisée : louis, sequins, piastres, maradévis, pistoles, sterling, etc. Nous savons également ce que Candide a mangé et bu, partout où il est passé : porc toute l'année en Allemagne; pain et bière en Hollande; jambon et chocolat au Paraguay; macaronis et perdrix de Lombardie à Venise, copieusement arrosés de vin de Chypre, Samos, Montepulciano et Lacryma-Christi; en Turquie, sorbets de diverses sortes, kaïmak piqué d'écorces de cédrat confit, oranges, citrons, limons, ananas, pistaches, -. sans alcool comme il va de soi en pays musulman; noix de coco dans les forêts amazoniennes; festin extraordinaire, enfin, dans le *parador* du village d'Eldorado : quatre potages garnis chacun de deux perroquets, un contour bouilli de deux cents livres, deux singes rôtis d'un goût excellent, trois cents colibris dans un plat et six cents oiseaux-mouches dans un autre ! !... A Paris seulement nous n'avons pas le menu du souper; les *nourritures terrestres* sont éclipsées par les *nouvelles nourritures*, intellectuelles, politiques, mondaines, les derniers potins et cancans.

Tous ces détails ne suffisent pas encore à Voltaire. Une très légère addition du manuscrit La Vallière nous montre fort bien avec quelle science de l'effet à produire il en ajoute d'autres, aussi vrais, aussi quotidiens, mais gratuits en quelque sorte, superflus (« le superflu, chose très nécessaire », a-t-il dit), qui donnent à ses évocations les plus sérieuses la légère désinvolture indispensable pour que le récit soit toujours *dominé*, par l'auteur et par son lecteur. Nous sommes à Lisbonne après le tremblement de terre; quelques citoyens, secourus par Candide et Pangloss, leur donnent un aussi bon dîner qu'on le peut dans un tel désastre, Pangloss disserte. Tout d'un coup, un petit homme noir, assis à côté de lui, intervient fort poliment : « Apparemment

1. Voir plus haut, pages 31 et suivantes.
2. Voltaire nous indique sa source dans le texte même : la *Relation du chevalier Raleigh*, chargé d'une enquête en Amérique du Sud par la reine Élisabeth (p. 184). La date qui est donnée ne concorde pas avec la chronologie du conte, mais Voltaire s'en moque et aucun lecteur n'y fait attention.

que monsieur ne croit pas au péché originel; car si tout est au mieux, il n'y a donc eu ni chute, ni punition. » Pangloss répond, « encore plus poliment », car il est inquiet, et nous aussi. L'Inquisition est déjà présente. La conversation est doucereuse, tendue, bizarre, - et brusquement interrompue par cette note qui clôt le chapitre : « ... Pangloss était au milieu de sa phrase, quand le familier fit un signe de tête à son estafier qui lui servait à boire du vin de Porto, ou d'Oporto. »

Voltaire n'avait pas écrit d'abord « ou d'Oporto ». Il s'était contenté des indications « petit homme noir », « familier », « estafier », et surtout de ce trait satirique vécu : le « familier » envoyant Pangloss à la mort, tout en continuant de se faire servir avec attention un vin de grande qualité. Mais Voltaire, se relisant, trouve soudain la précision cocasse qui fait mouche. Qu'on dise Porto ou Oporto, quelle importance ? - Mais justement. L'inutilité totale de cette notation vraie nous fait ressentir comme physiquement la présence même de l'absurde, le détruisant par le rire. L'Inquisition ne peut subsister vraiment que si les gens croient en elle, même en déplorant ses abus, la révèrent, y aperçoivent encore quelque nécessité divine. Ce n'est pas pour rien qu'*Auto-da-fé* signifie *Acte de foi*. Après *Candide*, pour qui que ce soit d'intelligent, croyant ou non, cet Acte de foi si particulier n'est plus possible. Il est démythifié à jamais.

Tous les amateurs de science-fiction le savent, un récit imaginaire qui veut s'imposer doit partir de données absolument inattaquables, contrôlées par l'expérience de tous. On n'én finirait pas de les énumérer dans *Candide*. Elles ne concernent pas seulement les choses (le café de Moka qui n'est point mêlé avec le mauvais café de Batavia et des îles, le fusil à deux coups de Cacambo); elles concernent *le comportement des individus*, les vérités d'observation psychologique moyenne, comme par exemple l'influence si souvent vérifiée (plaisante et humiliante à la fois) du physique sur le moral, ou du temps qui s'écoule sur la façon de voir les choses :

« Quoiqu'il eût toujours sur le cœur la friponnerie du patron hollandais, cependant, quand il songeait à ce qui lui restait dans ses poches, et quand il parlait de Cunégonde, surtout à la fin du repas, Candide penchait alors pour le système de Pangloss » (p. 194).

« Au bout de quinze jours ils étaient aussi avancés que le premier. Mais enfin ils parlaient, ils se communiquaient des idées, ils se consolaient. Candide caressait son mouton. Puisque je t'ai retrouvé, dit-il, je pourrai bien retrouver Cunégonde » (p. 195-196).

LES PERSONNAGES

Ce réalisme de base concerne, avant tout, les personnages. On a dit et redit, après André Bellessort, qu'ils n'étaient que des marionnettes, Voltaire tirant toutes les ficelles. Cela ne me paraît pas exact. Voltaire est derrière ses personnages, certes, mais ceux-ci sont bien vivants, en chair et en os ; et là encore la vérité physique et la vérité psychologique sont toujours suffisamment respectées pour que nous soyons obligés de les accepter tels quels, sans aucune discussion possible.

● *Le baron jésuite*

La description proprement dite, extérieure, est tout particulièrement soignée pour les personnages secondaires qui doivent s'imposer du premier coup. Voici le jeune baron-jésuite-commandant-frère de Cunégonde : « C'était un très beau jeune homme, le visage plein, assez blanc, haut en couleur, le sourcil relevé, l'œil vif, l'oreille rouge, les lèvres vermeilles, l'air fier » (p. 172). Notations extrêmement précieuses, en effet, si nous voulions construire la marionnette du personnage ; mais le jeune baron est beaucoup plus que cela. Ses caractéristiques propres sont notées avec finesse : il s'attendrit avec Candide sur leur sort commun et celui de leur parenté, mais il entre en fureur, quelques minutes plus tard, parce que Candide veut épouser Cunégonde, exactement de la même façon que nombre d'officiers nazis pendant la guerre montraient avec beaucoup de sensibilité des photos de famille à des résistants sur lesquels ils allaient, ensuite, s'acharner ; de même l'éducation militaro-jésuite du baron est marquée dans ses paroles avec une justesse de ton parfaite, une appropriation des termes sans défaut : « Je fus jugé propre par le révérend père général pour aller travailler dans cette vigne » (p. 174). Le chef suprême des jésuites s'appelle bien, encore aujourd'hui,

R. P. général; le vœu d'obéissance oblige tous les membres de la Société à accepter toute mission ou profession particulière qui leur est attribuée, mais choisie d'habitude selon leurs capacités; l'expression « travailler à la vigne », directement empruntée à l'Évangile [1], est très fréquente dans leurs différents textes... La phrase en elle-même n'est donc nullement caricaturale, elle ne prend valeur satirique que dans l'ensemble du portrait, qui dès lors s'impose à nous totalement. Des phrases comme : « Le bonnet à trois cornes en tête, la robe retroussée, l'épée au côté, l'esponton à la main, il fit un signe; aussitôt vingt-quatre soldats entourèrent les deux nouveaux venus » ou bien : « Le révérend père provincial est à la parade après avoir dit sa messe, répondit le sergent; et vous ne pourrez baiser ses éperons que dans trois heures » (p. 171), ces phrases célèbres ne nous paraissent même pas des charges, nous suivons Voltaire jusqu'au fameux cri : « Mangeons du jésuite mangeons du jésuite » que tous les Parisiens se répétaient à Paris l'année de *Candide*. Trois ans après, rappelons-le, l'Ordre sera expulsé de France, officiellement.

● *Le gouverneur*

Les portraits plus rapides ne sont pas moins suggestifs : le gouverneur Don Fernando d'Ibaraa, y Figueora, y Mascarenes, y Lampourdos, y Souza, par exemple : « Il parlait aux hommes avec le dédain le plus noble, portant le nez si haut, élevant si impitoyablement la voix, prenant un ton si imposant, affectant une démarche si altière qu'on était tout déconcerté. » Un seul trait proprement physique, quatre traits moraux de même nature mais qui s'expriment eux aussi, immédiatement, par des attitudes physiques; un rythme ascendant très vif, aussi sensible pour le lecteur que l'orgueil du gouverneur pour ses administrés... Cependant la chute de la phrase est quelconque, sans force. Voltaire le sent, il corrige : « ... que tous ceux qui le saluaient étaient tentés de le battre » (p. 168). Ce n'est pas là seulement, on l'a compris, une correction de style, elle achève le portrait. Nous voyons le gouverneur non seulement tel qu'il est, mais tel qu'il est vu, nous ressentons nous-mêmes l'effet,

1. Matthieu, XX, 1; Luc, XIII, 6; XX, 9.

quasi instinctif, qu'il produit sur tous et qui découle à l'évidence des traits indiqués... De plus, ici encore, comme pour le baron-jésuite, les quelques paroles que va prononcer ensuite le gouverneur, son sourire amer, toutes ses attitudes, sont à l'unisson exact de son portrait, - et sans que l'ensemble dépasse trente lignes, dont trois pour le seul nom du personnage répété exactement là où il faut.

• *Paquette, Martin, Pococuranté*

On pourrait faire une analyse semblable pour Frère Giroflée, don Issachar, l'abbé périgourdin, Mme de Parolignac. La caricature est invisible tellement tous les traits indiqués sont justes. Il arrive même qu'elle soit totalement absente, comme pour le philosophe Martin ou le sénateur Pococuranté, ou comme pour la gentille Paquette, si aimable et si docile. Réduite au sort qu'on devinait pour elle, Paquette ne provoque aucun sarcasme, elle fait pitié. La peinture qu'elle trace de la prostitution au chapitre XXIV (p. 211) n'est pas seulement réaliste, elle est déjà naturaliste, sans détonner pourtant dans l'atmosphère du conte...

André Bellessort pourrait-il dire que Martin et Pococuranté sont des marionnettes ? Intelligents tous les deux, hommes de goût, mais l'un trompé et l'autre comblé par la vie, Voltaire peut se permettre, tellement ils sont vrais, de mettre dans leur bouche un certain nombre de ses propres jugements moraux ou esthétiques, - mais pas tous. Et il ne nous laisse pas moins juger avec pertinence de leur caractère. Blasé, sans scrupules, la franchise orgueilleuse d'un homme fier qui n'a jamais été contraint de biaiser, libéral par conviction et aussi par une espèce de dédain, amateur de femmes, mais les méprisant trop pour connaître l'amour, amateur d'art mais trop à l'écart de la vie pour pouvoir créer, sans chagrin peut-être mais sans joie non plus, Pococuranté ne peut pas être heureux puisqu'il met son plaisir à n'avoir pas de plaisir.

C'est Martin qui le dit, et il est orfèvre sur ce point. Lui, est aigri. Né petitement, toujours déprécié ou persécuté à cause de sa valeur même par des gens mieux nés ou mieux placés qui sont loin de le valoir, malheureux dans sa femme et dans ses enfants, sans grande énergie, il se venge de ses malheurs et des injustices qu'il a subies par une perspicacité orientée uniquement désormais par la vue ou la prévision du mal. Modéré et nuancé pourtant, de par son intelligence, il devient aisément cynique et comme indifférent à tout ce qui peut lui arriver (sauf la prison); mais finalement nous voyons très bien, comme pour Pococuranté, qu'il se trompe, - d'abord parce qu'il ne peut plus être heureux, - ensuite parce que sa perspicacité même, sa dernière joie, lui échappe. Il ne voit plus clair. Devenu incapable d'imaginer qu'on puisse être fidèle et honnête, il prophétise complètement à tort sur Cacambo (p. 210), et il ne s'indigne pas plus vite que les autres, dans le dernier chapitre, contre l'exploitation dont celui-ci est victime, il ne discerne pas que là est la cause la plus facile à corriger de leur mauvaise situation à tous... Ces deux portraits d'intellectuels sont extrêmement modernes. Nombreux, de nos jours, les misanthropes qui leur ressemblent.

• Cacambo et la vieille

La vieille, nous l'avons vu, est très attachante, - à la fois solide, cynique, résignée, active, se souvenant toujours qu'elle est fille de pape et de princesse, mais pourtant populaire, comme Cacambo, avec lequel elle a beaucoup de traits communs, issus de leur même condition servile... Celui-ci pâlit un peu vers la fin du conte. Mais quoi ? Voudrait-on qu'il se révolte soudain contre sa condition en Propontide ? Il est tout seul, et l'on sent d'ailleurs que l'âge, les aventures, et les souffrances de sa servitude auprès du sultan en rupture de trône l'ont marqué. C'est même lui, avec Cunégonde, qui nous fait sentir le plus, dans le roman, le temps qui est passé. Dans les Amériques, Cacambo, plus jeune, était superbe d'allant, de santé, de verve. Beaumarchais n'aura qu'à étoffer un peu le personnage pour en faire son Figaro immortel.

• Cunégonde

Mademoiselle Cunégonde, à dix-sept ans, est « haute en couleurs, fraîche, grasse, appétissante » (p. 138). On la voit, et on est séduit... Mais on vient de voir aussi à côté d'elle, dans la phrase immédiatement précédente, Mme la baronne de Thunder-ten-tronckh, qui « pèse environ trois cent cinquante livres ». Si l'on n'est pas aveuglé par l'amour, on peut craindre à tout le moins, étant donné le portrait, que ladite Mademoiselle devienne un jour aussi énorme que sa mère et qu'elle ne sache pas, peut-être, assumer son poids avec la même dignité si elle connaît beaucoup d'épreuves. La transformation physique de Cunégonde à la fin du roman, bien loin de nous être imposée par l'auteur, apparaît fort vraisemblable et sa transformation morale également. C'est parce qu'elle est chaque jour plus laide qu'elle devient acariâtre et insupportable ; visiblement il n'y avait rien de plus important pour elle que ses charmes, et la manière dont elle en usait. Tout cela nous a été indiqué dès l'abord.

Ayant beaucoup de dispositions pour les sciences, elle manifeste tout de suite un intérêt très vif pour les leçons de physique expérimentale que lui donnent involontairement Pangloss et Paquette ; elle ne se détourne pas, elle demeure sur place, sans souffler, pour observer les expériences réitérées dont elle est témoin (p. 139). Est-il étonnant après cela que ce soit elle qui prenne toujours les initiatives avec Candide ?

Elle n'aime ni « son abominable inquisiteur », ni « son vilain don Issacar » (p. 156). Mais comment agit-elle avec eux ? La réponse n'est pas tout à fait certaine. Cunégonde a senti, après son expérience du beau capitaine, qu'elle continuerait sans doute davantage à être aimée et choyée si elle résistait, en tout cas si elle résistait « mieux » (p. 154). Candide retrouvé, elle lui fournit donc cette excellente raison à l'appui de ce qu'elle affirme concernant son attitude ; effectivement c'est pour l'apprivoiser, dit-elle, que le juif l'a menée dans une maison de campagne plus belle encore que le chateau de Thunder-ten-tronckh... Mais une phrase de la vieille, plus tard, Candide étant absent, peut assurément nous faire douter qu'elle ait dit la vérité entière (p. 169). Dès qu'elle n'a plus d'argent, elle se désole d'une façon éminemment pratique : « Qui a donc pu me voler mes pistoles et mes diamants ? disait en pleurant Cunégonde ; de quoi vivrons-nous ? Comment ferons-nous ? Où trouver des inquisiteurs et des Juifs qui m'en donnent d'autres ? » (p. 158). Elle ne résistera pas bien longtemps, l'on s'en doute, au gouverneur Don Fernando d'Ibaraa y Figueora y Mascarenes y Lampourdos y Souza, qui possède, outre son nom, le pouvoir, de très belles moustaches et un amour résolu.

Cunégonde n'est donc pas, elle non plus, il s'en faut, un simple pantin de bois et de chiffons ; c'est, peut-on dire, un personnage bien en chair, qui se complète, à chaque trait nouveau, de façon fort cohérente.

Ce qui a trompé, peut-être, c'est que le genre du conte admet, exige, une bien plus grande souplesse que la comédie. Au théâtre, il est détestable qu'on entende l'auteur dans le style de ses personnages ; il doit les faire parler mieux que dans la vie peut-être, d'une façon plus forte et plus typique, mais sa présence doit être invisible, comme celle du Dieu de Leibnitz dans sa création. Dans le conte, pourvu que le personnage existe avec force, l'auteur peut se permettre des coups de pouce, même dans les dialogues et dans les récits-confessions. Et cela donne des résultats comme celui-ci où tous les traits du caractère de Cunégonde, et tous ses souvenirs, se juxtaposent de si jolie façon :

(relire les deux derniers paragraphes du récit de Cunégonde, p. 155 et 156).

Ce texte, surtout lu à haute voix, est une merveille. Nous ne cessons jamais d'entendre Cunégonde avec son ton à elle, ses répétitions pour appuyer les termes, sa franchise, sa fausse innocence, les préoccupations secrètes qui dictent aussi bien ses brusques passages d'un sentiment à l'autre que sa décision très ferme de profiter à plein du temps qui passe... Mais nous entendons aussi, constamment, la voix de Voltaire lui-même *jouant* Cunégonde [1], modulant ironiquement les phrases romanesques, s'arrêtant une seconde après « mes cris auraient été inutiles » pour laisser à Cunégonde le temps de bien regarder (comme au premier chapitre), puis reprenant par la belle construction savante : « Quand vous eûtes été bien fessé : « Comment se peut-il faire, disais-je,... », - et soulignant au passage, avec discrétion, toutes les malices suggérées : *Monseigneur* ou *mon seigneur* l'inquisiteur... Je louai Dieu qui vous ramenait à moi par tant d'*épreuves*... *Commençons* par souper... etc.

Il est légitime assurément, devant de telles réussites psychologiques, satiriques et comiques, d'employer le mot de perfection.

1. L'un des plaisirs les plus vifs de Voltaire était de jouer sur scène, à Paris, à Cirey, aux Délices, à Ferney, partout.

● *Candide*

Le même chapitre (p. 154) nous fait voir en quatre répliques ce qui distingue Candide de Cunégonde :

> « Le brutal me donna un coup de couteau dans le flanc gauche dont je porte encore la marque. - Hélas! j'espère bien la voir, dit le naïf Candide. - Vous la verrez, dit Cunégonde; mais continuons. - Continuez, dit Candide. »

Candide est l'incarnation même de la *candeur*. Impossible d'employer une autre formule, le nom que Voltaire lui a fait donner (p. 137), comme sa physionomie, « *annonce son âme* » et dit presque tout de lui. Nous avons souligné déjà combien Voltaire tenait à remettre en valeur cette qualité *philosophique* essentielle, la plus opposée, semble-t-il, à l'intelligence et à la culture, mais la plus nécessaire aussi pour discerner ce qui, dans les usages acceptés par la plupart des gens, est contraire au bon sens comme à la bonté. (Voir plus haut, p. 37.)

Candide, fils illégitime d'un bon et honnête gentilhomme, est lui-même *né bon*, comme l'homme naturel de Jean-Jacques Rousseau. Mais la société ne l'a pas perverti, - il n'est pa, pervertissable. Il gardera d'un bout à l'autre du roman cette profonde bonté qui dépasse de beaucoup la simple gentillesse (déjà si peu commune); il sait faire attention à autrui, parler avec amitié à la vieille, à Paquette, à tous. Nous ne nous étonnons absolument pas que Cacambo s'attache à lui et lui soit fidèle, que Martin finisse par le suivre autrement que par intérêt, que Cunégonde lui revienne toujours. Il suscite la sympathie, parce qu'il donne la sienne.

Candide a été « *élevé à ne jamais juger de rien par lui-même* » (p. 216) et il a « *du goût pour la métaphysique* » (p. 184). Comme son esprit est « *le plus simple* » (p. 137), il est une proie idéale pour le système de Pangloss, fondé précisément sur la bonté parfaite du Créateur et l'organisation harmonieuse de tout ce qui est en vue du meilleur. Candide a donc été entièrement satisfait tant qu'il a été un bon jeune homme heureux; « l'aliénation » intellectuelle chez lui, au départ de Thunder-ten-tronckh, est vraiment complète... Mais comme Candide possède aussi « le jugement assez droit » (p. 137), il ne cessera jamais, *candidement*, de s'*étonner* pour notre plus grand plaisir de tout ce qui est *étonnant*, quitte à se raccrocher dès qu'il le peut au système si pratique de son maître vénéré. « *Vous êtes toujours étonné de tout* », lui dit Cacambo (p. 177). Oui, et c'est bien là ce qui le sauve, avec son humanité profonde et sa naïveté que rien n'entame ; c'est là aussi ce qui lui fait trouver la solution finale. Les autres ne *s'étonnent pas*, à la fin, que Cacambo travaille tout seul pour eux, même après les trois dernières phrases du vieillard turc. Candide le voit. Le naïf est devenu, avec la vieille, le personnage le plus lucide du conte, même si nous avons cru pendant quelques chapitres que c'était le philosophe Martin.

Mais Voltaire joue encore, pour nous faire admettre tout ce qu'il voudra de son héros, sur une autre carte maîtresse. Candide n'est pas seulement sympathique et bon, il nous oblige à revenir sur nous-mêmes ; fût-ce inconsciemment, nous devenons peu à peu son complice. Quel lecteur n'a pas été aussi « candide » que lui, au moins une fois ? Lequel ne s'est pas laissé prendre si peu que ce soit par une publicité habile, le bagou d'un charlatan, le charme flatteur d'une Parolignac, la cohérence apparente, sur le papier et dans les discours, des systèmes philosophico-politiques tout faits ? Les hommes les plus intelligents ont des faiblesses intellectuelles étranges. Voltaire a été leibnitzien ; il a cru en Frédéric et en beaucoup d'autres ; même après *Candide*, il se persuadera pendant un temps que si « la Sémiramis du Nord », Catherine II de Russie, occupe des provinces polonaises, c'est, au moins pour une bonne part, afin d'y établir la tolérance contre les abus de la hiérarchie catholique. Hitler, Staline, pour ne citer que ces deux-là, ne sont-ils par parvenus à duper longtemps, sur quelques-unes des pires exterminations de notre siècle, une partie de l'opinion mondiale et quelques-uns de nos grands écrivains ?... Que celui qui n'a jamais été candide jette donc à notre héros la première pierre. Il n'en recevra pas beaucoup.

Assurés ainsi de notre complicité, l'imagination et l'esprit de Voltaire peuvent se donner libre cours. Les plus étonnantes « naïvetés » de Candide passeront la rampe de notre esprit :

« O Pangloss ! Pangloss ! que vous seriez aise si vous n'aviez pas été pendu ! » (p. 173),

ou bien, après l'épisode des Oreillons :

« Quel peuple ! disait-il, quels hommes ! quelles mœurs ! Si je n'avais pas eu le bonheur de donner un grand coup d'épée au travers du corps du frère de Mlle Cunégonde, j'étais mangé sans rémission. Après tout, la pure nature est bonne, puisque ces gens-ci, au lieu de me manger, m'ont fait mille honnêtetés dès qu'ils ont su que je n'étais pas jésuite » (p. 179).

Mais la candeur de Candide n'*admire* pas seulement, elle agit; et elle agit, comme il convient chez un héros, après des monologues cornéliens (un peu plus courts seulement) : Candide vient d'étendre raide mort sur le carreau le colérique don Issacar et de voir entrer dans la pièce Monseigneur l'Inquisiteur qui a reconnu en lui tout de suite le fessé de la dernière cérémonie. Voltaire raconte :

« Voici dans ce moment ce qui se passa dans l'âme de Candide, et comment il raisonna : « Si ce saint homme appelle du secours, il me fera infailliblement brûler; il pourra en faire autant de Cunégonde; il m'a fait fouetter impitoyablement; il est mon rival; je suis en train de tuer, il n'y a pas à balancer. » Ce raisonnement fut net et rapide; et, sans donner le temps à l'inquisiteur de revenir de sa surprise, il le perce d'outre en outre, et le jette à côté du Juif. « En voici bien d'une autre, dit Cunégonde; il n'y a plus de rémission; nous sommes excommuniés, notre dernière heure est venue. Comment avez-vous fait, vous qui êtes né si doux, pour tuer en deux minutes un Juif et un prélat ? - Ma belle demoiselle, répondit Candide, quand on est amoureux, jaloux et fouetté par l'Inquisition, on ne se connaît plus » (p. 157-158).

Superbe réponse de l'homme qui vient de prouver à sa belle ce dont il est capable, - et qui ennoblit sur-le-champ les motifs un peu trop intéressés qu'il s'est donnés deux minutes avant, Son allégresse n'a d'égale que sa désolation irrésistible lorsqu'il vient au Paraguay de commettre pour Cunégonde son troisième meurtre, enfonçant son épée « jusqu'à la garde dans le ventre du baron jésuite » :

« Mais, en la retirant toute fumante, il se mit à pleurer : « Hélas! mon Dieu, dit-il, j'ai tué mon ancien maître, mon ami, mon beau-frère; je suis le meilleur homme du monde, et voilà déjà trois hommes que je tue; et dans ces trois il y a deux prêtres » (p. 175).

• Pangloss

Il nous reste à parler du seul Pangloss. Celui-là est bien une marionnette, mais qui tire lui-même ses ficelles si l'on peut dire, avec la collaboration de Leibnitz et de Voltaire. Il est le philosophe « aliéné » par excellence, c'est-à-dire qui jouit de son aliénation, s'y replonge sans cesse, joue avec elle, garde même une certaine conscience à son égard, du moins à certains moments, mais ne peut plus faire autrement que tourner en rond dans son système, à la fois par amour-propre, pour ne pas se contredire, par intérêt, - il n'a d'autorité et de poids, de gagne-pain, de succès même auprès des femmes, dans le milieu où il évolue, que grâce à ses oracles, - et par passion du verbe! Son nom est aussi parfaitement choisi que celui de Candide, de Pococuranté, de Cacambo ou du gouverneur Don Fernando d'Ibaraa, y Figueora, y Mascarenes, y Lampourdos, y Souza. Il est *toute langue* [1].

Peu dangereux du reste, au moins dans l'immédiat, de sorte que nous pouvons toujours en rire. Il est même relativement bonhomme. Lorsque Candide mourant, dans la scène dont nous avons parlé, lui redemande un peu d'huile et de vin, acceptant volontiers *que rien ne soit plus probable* que les hautes déductions philosophico-géologiques de son maître sur les volcans (p. 149), Pangloss réagit d'abord suivant son réflexe conditionné habituel : « Comment, probable? je soutiens que la chose est démontrée. » Mais Candide perd connaissance, et Pangloss lui apporte un peu d'eau d'une fontaine voisine.

Surtout, Voltaire a donné à ce « toute langue », défenseur obstiné du *libre arbitre* dans le cadre général de la nécessité absolue (p. 150), un appétit charnel tout à fait *déterminé* et incoercible. Sa deuxième « raison suffisante » apparaît en très gros plan dès le premier chapitre (p. 139) et l'entraîne sans qu'il y puisse rien dans la moins souhaitée des successions de misères possibles. Finalement, il doit bien avouer, parfois, qu'il a « toujours horriblement souffert », mais, ayant soutenu une fois que tout allait à merveille, il continue à le soutenir, sans en rien croire : « Car enfin, je suis philosophe : il ne me convient pas de me dédire, Leibnitz ne pouvant

1. C'est le sens même de son nom, formé de deux mots grecs.

pas avoir tort, et l'harmonie préétablie étant d'ailleurs la plus belle chose du monde, aussi bien que le plein et la matière subtile » (p. 228).

La caricature est-elle trop forte ? - Mais ce n'est pas Voltaire qui a inventé les plus ridicules des arguments finalistes : que le melon a des tranches pour pouvoir être plus facilement mangé en famille, que la puce dans les pays tempérés est noire, pour pouvoir être plus facilement aperçue et chassée sur une peau blanche. Citons textuellement : Si « la vache a quatre mamelles, quoiqu'elle ne porte qu'un veau et bien rarement deux », c'est « parce que ces deux mamelles superflues étaient destinées à être les nourrices du genre humain [1] ». On est stupéfait de ce que les dogmatiques, dans tous les domaines, peuvent inventer en réponse à leurs adversaires pour justifier des « démonstrations » dont ils ne sont jamais quand même tout à fait sûrs. Voltaire nous montre fort bien en réalité, par le désordre voulu des tirades presque interchangeables de son docteur borgne, avec quelle facilité l'on peut passer de formules apparemment toutes simples : *Tout a une cause* ou *Les choses étant ce qu'elles sont* par exemple, à d'autres qui le paraissent encore si l'on ne fait pas très attention : *Il est impossible que les choses ne soient pas où elles sont, S'il y a un volcan à Lisbonne il ne pouvait être ailleurs... Tout est comme il doit être, Tout est indispensable, ...* pour en arriver finalement en toute bonne conscience aux énormités : *Tout étant fait pour une fin, tout est nécessairement pour la meilleure fin... Les malheurs particuliers font le bien général, de sorte que plus il y a de malheurs particuliers, et plus tout est bien* (p. 138, 147, 150), L'histoire des doctrines humaines est remplie de tels glissements vers l'irréel. Qu'est devenu l'Évangile dans certains catéchismes espagnols, le marxisme dans les écrits de Jdanov, l'existentialisme dans les caves de Saint-Germain-des-Prés, - la physique même chez certains savants ? Quelques-uns sont allés jusqu'à évoquer, après les découvertes de Heisenberg, « le libre arbitre de l'atome » (Eddington), voire une science « non plus universelle, mais liée au sang et à la race de ses créateurs » (Hillebrandt).

1. Bernardin de Saint-Pierre, *Études de la nature*, parues en 1784, vingt-cinq ans après *Candide*.

LA POÉSIE DE L'ABSURDE

Oui, la charge, pour le portrait de Pangloss, est énorme, mais elle est fondée sur le vrai, et proportionnelle à cette vérité en quelque sorte, comme celles de Mascarille, de Vadius et Trissotin chez Molière, comme les meilleurs passages de l'*Ubu roi* de Jarry. Nous avons quitté le réalisme pour une sorte de sur-réalisme comique, terriblement efficace. Tous les grossissements deviennent possibles, les coïncidences les plus invraisemblables nous étonnent à peine, elles sont naturelles. Voltaire peut faire arriver Candide à Lisbonne ou à Portsmouth juste au moment où il faut, ressusciter Pangloss pendu et le baron transpercé, perdre, retrouver, reperdre et retrouver Cunégonde, multiplier les indécences, petites ou grosses, à peine voilées d'italien ou de philosophie (p. 139 et 164), inventer des situations de vaudeville aussi cocasses que le partage de Cunégonde selon les jours de la semaine entre un Inquisiteur et un Israélite, - avec hésitation sur la nuit du samedi au dimanche, - dénoncer à chaque page un ridicule ou une abomination, nous le suivons, aussi admiratifs que Candide devant ce kaléidoscope imprévisible et pourtant impossible à mettre en doute, dix fois plus cohérent que toutes les démonstrations de Pangloss.

Et si nous avons tout de même envie, parfois, de crier à l'absurde, tant mieux, c'est encore un effet cherché : l'impression d'absurde est ce qui nous guérira le plus sûrement de l'optimisme béat et de l'harmonie préétablie. Une poésie étrange apparaît, celle de l'imprévisible. La *création* artistique, n'est-ce pas toujours l'inattendu, ce qui n'a jamais existé encore, ce que l'on ne concevait même pas ? La philosophie de l'absurde et la poésie de l'imprévu s'engendrent l'une l'autre [1]. Le comique devient lyrisme.

D'ailleurs, tout va si vite. Voltaire mène son récit comme les six moutons de l'Eldorado le carrosse de Candide. Il « vole » (p. 185), il ne se pose jamais à terre... Et pourtant nous avons le loisir de savourer chaque effet, - soit parce qu'il est préparé, soit au contraire parce qu'il est tellement bizarre qu'il nous oblige à l'attention. Deux fois par exemple la fesse manquante de la vieille surgit au coin d'une phrase

---

1. « De la poésie de l'imprévu se dégage une philosophie de l'absurde », dit René Pomeau. Oui. Et de la philosophie de l'absurde se dégage une poésie de l'imprévu.

sans aucune explication (p. 158 et 159); ni le lecteur ni les personnages n'ont le temps de s'en occuper; cette notation les frappe cependant! La troisième fois, la formule de la vieille est si vive qu'elle provoque enfin le récit attendu (p. 160) : « Mademoiselle, répondit la vieille, vous ne savez pas quelle est ma naissance; et, si je vous montrais mon derrière, vous ne parleriez pas comme vous faites, et vous suspendriez votre jugement. » Ce discours fit naître une extrême curiosité dans l'esprit de Cunégonde et de Candide. La vieille leur parla en ces termes... » (Nous sommes sur le bateau, en plein Atlantique, et nous pouvons écouter.)

LE STYLE

Partout, même et surtout dans les dialogues, les phrases de Voltaire s'amusent. La grammaire est violée, comme Cunégonde, « une fois, mais sa vertu s'en affermit » (p. 155) : « Enfin mon Juif, intimidé, conclut un marché, par lequel la maison et moi leur appartiend*raient* à tous deux en commun. » Normalement la première personne l'emporte sur la troisième pour l'accord du verbe; ici, non. Cunégonde est considérée comme un objet.

Ailleurs, les passés simples participent ironiquement à la drôlerie : « Je vous dirai tout cela, répliqua la dame; mais il faut auparavant que vous m'appreniez tout ce qui vous est arrivé depuis le baiser innocent que vous me donnâtes et les coups de pied que vous reçûtes » (p. 153).

Et toujours la dénonciation satirique demeure au premier plan, quelle que soit la vitesse de la phrase. L'unité du conte est constamment présente :

« Il s'en retournait se soutenant à peine, prêché, fessé, absous et béni [ce sont maintenant les participes qui sont à la fête], lorsqu'une vieille l'aborda et lui dit : « Mon fils, prenez courage, suivez-moi » (p. 151).

« Candide versa des larmes : « O ma chère Cunégonde! ... Cunégonde amenée de si loin, que deviendrez-vous ? - Elle deviendra ce qu'elle pourra, dit Cacambo; les femmes ne sont jamais embarrassées d'elles; Dieu y pourvoit, courons » (p. 170).

Plus loin, c'est Pangloss qui n'a pas pu être brûlé sur le bûcher parce qu'un orage soudain a mouillé les fagots. La simplicité du style avive encore la cocasserie réaliste de chaque détail fourni : « On ne pouvait pas avoir été plus mal pendu que je l'avais été. L'exécuteur des hautes œuvres de la sainte Inquisition, lequel était sous-diacre, brûlait à la vérité les gens à merveille, mais il n'était pas accoutumé à pendre : la corde était mouillée et glissa mal... » (p. 227). Un chirurgien achète son corps, et pour le disséquer fait une incision *cruciale*. Pangloss, qui respirait encore, pousse un tel cri que le chirurgien tombe à la renverse, et la femme du chirurgien sur le corps de son époux. Toutefois, dès qu'ils sont un peu revenus à eux, la femme comprend ce dont il s'agit : le diable peut sortir d'un possédé par l'incision *en forme de croix*. Et son explication au chirurgien est si juste de ton, si vivante de rythme, que le lecteur croit réellement l'entendre prononcer : « Mon bon, de quoi vous avisez-vous aussi de disséquer un hérétique ? Ne savez-vous pas que le diable est toujours dans le corps de ces gens-là ? Je vais vite chercher un prêtre pour l'exorciser » (p. 227).

LA JOIE

« La joie de l'esprit en marque la force », disait Ninon de Lenclos. Voltaire n'a jamais oublié cette fière leçon. « Malheur aux philosophes qui ne savent pas se dérider, dit-il. Je regarde l'austérité comme une maladie. J'aime encore mieux être languissant et sujet à la fièvre comme je suis que de penser tristement. Il me semble que la vertu, l'étude et la gaîté sont trois sœurs qu'il ne faut point séparer. » Cette phrase rappelle et complète celle du « bon vieillard turc » sur le grand remède à l'ennui, au vice et au besoin (p. 233). Contre le mal et la résignation au mal, Voltaire, dans la conclusion de *Candide*, nous invite à cultiver notre jardin, à *agir*. Contre le mal et les causes du mal, contre les mythes qui le justifient ou qui l'absolvent, il nous invite, dans tout le roman [1], à *rire*, car le rire est encore une action, il atteste l'intelligence et la sensibilité : « Ce monde est une guerre, celui qui rit aux dépens des autres est victorieux. » Soyez gais, soyez gais, répète Voltaire. La gaîté est, avec le travail, la grande arme heureuse et pacifique du combat humain. « Soyez gais » et « réjouissez-vous ». La joie est toujours un triomphe de l'homme.

1. En dehors de quelques passages de ton très dramatique, qui en prennent d'autant plus d'efficacité (voir plus haut, p. 36-37-38).

L'accueil des pouvoirs, de la critique et du public [5]

Candide fut imprimé à Genève en décembre 1758 ou janvier 1759 et diffusé aussitôt partout, *clandestinement*. Voltaire avait bien fait d'attribuer le livre à l'imaginaire Docteur Ralph. Le 24 février, à Paris, l'avocat général Omer Joly de Fleury demande au procureur général (qui est son frère) d'agir promptement et efficacement pour arrêter le débit. A Genève, le livre est dénoncé le 23 février, saisi le 26, condamné et brûlé en mars. « Le but secret de l'auteur, écrit le protestant Bonnet, est de présenter l'univers sous la forme la plus hideuse, d'où il résulte la conséquence, ou que l'auteur de l'univers ne se mêle point de ce qui s'y passe, ou qu'il ne savait pas ce qu'il faisait [1]. »

Rien de tout cela n'arrête la vente. Plus de quinze éditions paraissent dans la seule année 1759. Mais tout cela arrête du moins, dans la presse autorisée, tous les articles qui pourraient être favorables. Voltaire d'ailleurs ne les souhaitait pas, on s'en doute. « C'est trahir ses frères que de les louer en pareille occasion », dira-t-il, c'est livrer « le combattant » aux « bêtes féroces »... Seuls paraissent donc des articles nettement critiques, une longue réfutation dans *L'oracle des nouveaux philosophes* par exemple, due sans doute à l'abbé Guyon. Fréron, lui, plus habile, fait semblant de prendre au sérieux les protestations de Voltaire et affirme que le conte ne saurait être de lui : il est trop sot! Peine perdue, l'ouvrage s'impose, il est encore imprimé plus de quarante fois jusqu'en 1778. « Voilà la seule espèce de roman que l'on peut lire »,

1. Lettre de Bonnet à Haller, 6 mars 1759.

disait, beau joueur, Frédéric de Prusse ; et Lord Chesterfield, à son fils qui lui demandait s'il valait la peine d'acheter *l'Encyclopédie*, répondait pertinemment : « Vous l'achèterez, mon fils, et vous vous assiérez dessus pour lire *Candide*. »

La Révolution ne fit pas cesser les haines contre Voltaire, il s'en faut. On se rappelle le jugement sans appel de Joseph de Maistre : « Admirer Voltaire est le signe infaillible d'une âme corrompue. » Madame de Staël rend hommage en 1802 à la gaîté piquante des *Contes*, à leur grâce toujours variée : « L'agrément et la tournure du récit sont tels que vous ne vous apercevez du but que lorsqu'il est atteint [1]. » Mais elle tonne en 1810 contre *Candide*, cet ouvrage *d'une gaîté infernale*, dit-elle, qui « semble écrit par un être d'un autre nature que nous, indifférent à notre sort, content de nos souffrances, et riant comme un démon, ou comme un singe, des misères de cette espèce humaine avec laquelle il n'a rien de commun [2] ».

Le ton est donné pour longtemps. La Restauration jugera Voltaire « satanique ». Les Ultras, en particulier, avaient trouvé un moyen très simple d'expliquer tout ce qui allait mal : c'était la faute à 1789, donc à Voltaire et à Rousseau. Il faudra une chanson à succès leur faisant mettre au compte des deux philosophes jusqu'aux crimes de Lucrèce Borgia et au Déluge, pour les ridiculiser complètement, - c'est cette chanson que chantera sous les balles, en l'adaptant à sa façon, le Gavroche de Victor Hugo [3].

Mais Alfred de Musset lancera encore en 1833 son trop fameux :

« Dors-tu content, Voltaire, et ton hideux sourire
   Voltige-t-il encore sur tes os décharnés [4] ? »

Stendhal même, si voltairien, détourne les yeux du « *fond méchant* » de *Zadig* et de *Candide* [5], et Baudelaire, de la part de qui c'est beaucoup moins étonnant, dénonce en leur auteur, non seulement « *l'antipoète* » mais « le roi des badauds, le prince des superficiels, l'antiartiste, le prédicateur des

---

1. *De la littérature*, I, 25.
2. *De l'Allemagne*, III, 4.
3. La chanson est de J.-F. Chaponnière. Voir notre édition des *Misérables*, p. 200-205 (Bordas).
4. *Rolla*, IV, Paul Valéry a répondu ce qu'il fallait répondre : « Ce *sourire hideux* éclaira, esquissa la ruine de maintes choses hideuses. »
5. *Henri Brulard*, ch. 21.

concierges, le père Gigogne des rédacteurs du Siècle [1] ».

Aujourd'hui encore, Voltaire continue de susciter des réactions véritablement passionnelles. Armand Hoog, dans *Carrefour* (2 déc. 1944), l'appelle en toute simplicité « un volontaire de la dégradation humaine » et Henri Guillemin dans *La table ronde* (févr. 1958), lui jetant à la face ses cinquante millions de rentes et l'une de ses phrases : « En France il faut être enclume ou marteau », écrit en propres termes : « Il a su choisir le bon côté, celui qui écrase. » André Rousseaux, plus mesuré, discerne bien comme Sainte-Beuve un certain « pathétique » de Voltaire, mais ce pathétique « ne ressemble en rien au nôtre », dit-il. « Le poids de l'âme y manquera toujours », car « la grandeur de la déréliction est une grandeur dont il se détourne; par là, il est antichrétien à fond... La quête de la foi sacrifie la tranquillité. Voltaire perçoit ce drame de son œil aigu et il écrit *Candide*, l'un des ouvrages les plus tragiques de notre littérature... puis à la dernière page de *Candide*, il opte pour la tranquillité [2] ».

Assailli le plus souvent sur sa droite, Voltaire est également, parfois, attaqué sur sa gauche, mais en fait pour la même raison, très clairement énoncée par Roland Barthes : « Il n'a d'autre système que la haine du système. » Dès lors, estime Barthes, « ses ennemis seraient aujourd'hui les doctrinaires de l'Histoire, de la Science, de l'Existence; marxistes, progressistes, existentialistes, intellectuels de gauche, Voltaire les aurait haïs, couverts de lazzis incessants, comme il a fait de son temps pour les Jésuites [3] ». Ce n'est pas impossible en effet. Voltaire détestait les Pangloss adorateurs de majuscules et il y en a toujours beaucoup, presque nécessairement, parmi les « doctrinaires » de quelque doctrine que ce soit. Les recherches de l'*Essai sur les mœurs* ont appris à son auteur, définitivement, que toute doctrine est ridiculement incomplète et bavarde en face de la complexité du monde [4]. Les philosophies ne sont le plus souvent que l'expression de la psychologie de leur auteur, ou des intérêts d'une classe, ou de l'oubli du réel. Faut-il donc faire grief à l'auteur de *Can-*

1. *Mon cœur mis à nu.*
2. Inactualité de Voltaire, dans « *Le monde classique* », p. 109 à 117.
3. Édition des « *Romans et Contes* » du Club des Libraires, préface reprise dans l'édition Folio, p. 16.
4. « Devant le mystère de l'univers, Voltaire reconnaît, comme Hamlet, avec un respect insoumis, qu'il y a plus de choses dans cet univers que l'homme ne peut en imaginer. » Ira O. Wade, *A study in the fusion of science, myth and art.*

dide de n'avoir adhéré à aucune ? Il n'y a que les huîtres qui adhèrent, dit férocement Valéry.

Mais Roland Barthes accuse davantage. « En assimilant tout système à la Bêtise et toute liberté d'esprit à l'Intelligence [encore les majuscules] Voltaire a fondé le libéralisme dans sa contradiction. » Par « système du non-système » Voltaire aboutit à l'anti-intellectualisme et par son conseil de cultiver notre jardin, à l'anti-historisme. « Anti-historisme et anti-intellectualisme, telle est la passion (plus encore que la leçon) de *Candide*. La morale de *Candide* est ce que nous appellerions aujourd'hui une *morale de dégagement* [1]. »

On peut assurément interpréter ainsi, isolés, les derniers mots du conte, mais cette interprétation est tellement contredite par le paragraphe qui les précède et par toute l'activité de Voltaire dans les vingt-cinq dernières années de sa vie qu'elle apparaît à tout le moins paradoxale. Roland Barthes appelle anti-intellectualisme l'antidogmatisme, c'est trop facile, et il ne pose pas la question : dégagement de quoi ? et engagement à quoi ? On dirait que Voltaire n'a plus rien écrit après 1759, que Candide est perdu pour les hommes parce qu'il n'accepte plus de discuter métaphysique !

Le problème clé en fait, Barthes le voit bien, est celui de la tolérance. Si Voltaire a pensé, comme Marx et Engels, que « la critique de la religion est la condition préliminaire de toute critique [2] », il n'a cessé en ce domaine et dans tous les autres de recommander la liberté et même le libéralisme. Barthes l'appelle « le dernier des écrivains heureux ». « Depuis Voltaire, dit-il, l'histoire s'est enfermée dans une difficulté qui déchire la littérature engagée et que Voltaire n'a pas connue : pas de liberté pour les ennemis de la liberté, personne ne peut plus donner de leçon de tolérance à personne [3]. »

... Il est impossible de dire, évidemment, ce que Voltaire aurait fait à d'autres époques, à la nôtre ; mais il est probable que, comme plus tard Victor Hugo, Romain Rolland, Albert Camus, il aurait refusé énergiquement de se laisser « enfermer » avec l'histoire, tout en continuant de faire ce qu'il pouvait

1. Édition des « *Romans et Contes* » du Club des Libraires, I, p. 19 et 219.
2. Marx et Engels, *Sur la religion*, Éd. Sociales, p. 41.
3. Édition des « *Romans et Contes* » du Club des Libraires, préface reprise dans l'édition Folio, p. 10.

pour agir sur elle. De même que la théologie n'est souvent qu'une caricature de la religion, « l'opium dogmatique » n'est souvent que la caricature de l'idéal révolutionnaire, dit Fidel Castro. Machiavel, lui aussi, a créé bien des Pangloss qui répètent à l'envi : la fin justifie les moyens, le socialisme justifie la dictature. Voltaire, cela est certain, ne serait pas de ce côté. *Il faut cultiver notre jardin* est une formule d'homme modeste, pratique, ne se fondant que sur l'expérience, ne visant que le possible. C'est sans doute pour cela qu'elle est si féconde.

Généralement en tout cas, que ce soit en France, en Russie, en Asie ou en Amérique, les révolutions ont toujours célébré Voltaire, du moins en leur début ; et elles ne le renient pas ensuite, même si elles pratiquent l'intolérance ; elles n'osent pas, tellement son audience populaire reste forte. L'Assemblée Constituante ayant voté le transfert des cendres de Voltaire au Panthéon, Marie-Joseph Chénier et Gossec célèbrent avant tout, en 1791, l'internationalisme de celui qui avait écrit l'*Essai sur les mœurs* et fait courir les héros de ses contes dans tous les pays pour y apprendre la liberté :

Fils d'Albion, chantez ; Américains, Bataves,
Chantez ; de la raison célébrez le soutien ;
Ah ! De tous les mortels qui ne sont point esclaves,
    Voltaire est le concitoyen.

« Le rire porte en lui quelque chose de révolutionnaire, explique fort bien Herzen... Seuls les égaux rient entre eux... La propagande de l'individualisme conduisait à la liberté comme l'humilité conduit à la soumission... Le rire de l'égoïste Voltaire a fait plus pour la libération des hommes que tous les pleurs de Rousseau [1]. »

Et Nietzsche a voulu dédier expressément à Voltaire, « l'un des plus grands libérateurs de l'esprit », son ouvrage « pour les esprits libres » : *Humain, trop humain*, - dont il a même avancé la publication « pour pouvoir apporter son hommage personnel » à la célébration du centenaire de l'écrivain.

---

1. Herzen, philosophe russe (1812-1870), deux fois déporté en Sibérie. Le texte cité figure dans son livre le plus célèbre, *De l'autre rive*, chap. VII.

Candide demeurant aujourd'hui, de loin, l'œuvre du XVIIIᵉ siècle la plus souvent éditée, les jugements modernes sur le conte sont naturellement innombrables [1]. Si divers qu'ils soient, ils confirment tous *l'actualité* de Voltaire, telle que l'avait définie Valéry : *Voltaire traduit l'usage, et même la loi, devant l'homme*. C'est là, certes, un désordre, dit Valéry, mais utile. Voltaire interroge dans tous les domaines ; il nous apprend à voir, là où il est, le ridicule, l'injuste, l'odieux, il rend ce qui était mauvais et accepté, inacceptable, il nous saisit de toutes les questions dont il s'est lui-même saisi. « Presque tous les arguments contre Voltaire s'adressent, en somme, au trop d'esprit qu'il eut. Puisqu'il avait tant d'esprit, il était donc superficiel. Puisqu'il avait trop d'esprit, c'est donc qu'il manquait de cœur. Tels sont les jugements du monde... Mais combien de gens profonds, combien d'hommes sensibles n'ont pas fait pour les hommes en général ce que fit alors ce sceptique, ce versatile Voltaire [2] ? »

Pas de plantes qui endorment ou qui enivrent dans le jardin de Ferney, uniquement des plantes qui réveillent, qui invitent à réfléchir et à agir. En un siècle où tant de voix ne cherchent qu'à anesthésier ou à fanatiser, Voltaire, « l'homme d'esprit par excellence », demeure bien aussi, de tous nos grands classiques, l'un des plus clairvoyants, des plus immédiatement proches de nous, des plus toniques. Il n'est pas étonnant que l'on cherche, partout, à refaire *Candide*.

1. On trouvera rassemblés les plus caractéristiques dans notre article de la revue *Les Humanités*, *Lettres*, Hatier, septembre 1972.
2. Valéry. Discours du 250ᵉ anniversaire, Sorbonne, 10 décembre 1944.

Annexes
Sélection bibliographique

« Candide »

Nous donnons, pour chaque citation de *Candide*, le numéro de page de l'édition des *Romans et Contes de Voltaire* (collection Folio, Gallimard), de loin la plus accessible. Cette édition comprend également *Zadig, Micromégas, L'ingénu*... Elle ne comprend pas malheureusement *l'Histoire des voyages de Scarmentado* (qui est comme une première ébauche de *Candide*) ni l'*Histoire d'un bon bramin*, très utile à lire pour connaître la psychologie de Voltaire. L'édition la plus complète des *Romans et Contes* est celle de René Pomeau chez Garnier-Flammarion.

Il existe 3 éditions critiques de *Candide*.

L'édition d'ANDRÉ MORIZE (Marcel Didier, 3e éd., 1957), déjà ancienne, est dépassée en ce qui concerne la composition du roman et l'apparat critique depuis la découverte par Ira Owen Wade, à la Bibliothèque de l'Arsenal, d'un manuscrit dicté par Voltaire et corrigé de sa main, envoyé au duc de La Vallière; mais l'introduction, les notes, les commentaires d'André Morize constituent toujours une documentation indispensable.

L'édition de RENÉ POMEAU (Nizet, 1958), qui tient compte de toutes les connaissances acquises plus récemment sur Voltaire et *Candide*, cherche à éclaircir à cette lumière la *genèse* du conte, et complète très utilement la documentation d'André Morize.

La troisième édition critique, celle de CHRISTOPHER THACKER (Droz, 1968), m'est apparue comme sans nécessité.

D'autre part, I. O. WADE a publié à l'Université de Princeton la photocopie du manuscrit La Vallière et une bonne étude du conte. Enfin ANDRÉ MAGNAN, professeur à l'Université d'Ottawa, a donné en 1969 une édition intégrale, sans apparat critique, mais riche de commentaires (Bordas).

Études sur Voltaire et « Candide »

RAYMOND NAVES : *Voltaire* (Connaissance des Lettres, Hatier, 1966, édition mise à jour par Jean Fabre et René Pomeau). Une bonne étude générale sur la vie, le caractère, l'œuvre, la sagesse de Voltaire.

GUSTAVE LANSON : *Voltaire* (Hachette, 1905).
Ouvrage célèbre à juste titre, qui a très peu vieilli.

RENÉ POMEAU : *Voltaire par lui-même* (Seuil, 1955). *La religion de Voltaire* (Nizet, 1956). *La politique de Voltaire* (Colin, 1963). *Voltaire conteur : Masques et visages* (L'information littéraire, janvier 1961).
Ces études répondent exactement à leurs titres ; elles sont précises, objectives, nuancées, perspicaces.

JACQUES VAN DEN HEUVEL, *Voltaire dans ses contes* (Colin, 1967).
Un livre qui répond exactement, lui aussi, à son titre. « Le conte devient pour Voltaire, estime J.V.d.H., un moyen unique de nous livrer ses problèmes, ses interrogations, ses doutes, ses angoisses même ; admirable instrument d'une confidence sans cesse jaillissante, stimulée et déguisée tout à la fois par l'humour. »

JEAN SAREIL, *Essai sur Candide* (Droz, 1967).
A peu près la thèse inverse : *Candide* est une satire, non une confession. Beaucoup de remarques suggestives, d'autres qui appellent la discussion.
Voltaire et les Grands (Droz, 1978).

PIERRE-GEORGES CASTEX, *Micromégas, Candide, L'ingénu de Voltaire* (S.E.D.E.S., 1959).
Excellentes analyses, précises et vivantes.

HENRI COULET, *La candeur de Candide* (Annales de la Faculté d'Aix-en-Provence, 1960).

ROBERT MAUZI, *L'idée de bonheur au XVIIIe siècle* (Colin, 1960).

POL GAILLARD, *Le mal, de Pascal à Boris Vian* (Bordas, 1971).
Historique du problème du mal, extraits des grands textes de notre littérature sur le mal.

W. F. BOTTIGLIA, *Voltaire's Candide ; analysis of a classic*, dans *Studies on Voltaire and the XVIII th. Century* (t. VII a, Genève, 1964).

W. H. BARBER, *Voltaire's Candide* (Londres, 1960).

La table ronde, numéro spécial, février 1958.

Europe, numéro spécial, mai 1959.

Voltaire, Rousseau et la tolérance (Actes du Congrès d'Amsterdam de 1978 publiés par l'Institut Français d'Amsterdam).

Index des thèmes

COLLECTION PROFIL

Imprimé en France par l'imprimerie Aubin - 86240 LIGUGÉ
Dépôt légal : juillet 1985 — N° d'édition : 7615 — N° d'impression : L 20192